TYWYDD MAWR

MEWN LLUNIAU

Iestyn Hughes

Extreme Weather in Wales

Argraffiad cyntaf: 2016

Dymuna'r cyhoeddwyr gydnabod cymorth ariannol
Cyngor Llyfrau Cymru

Llun y clawr: Iestyn Hughes
Dylunio: Richard Ceri Jones

Oni nodir yn wahanol, mae hawlfraint y lluniau yn eiddo i'r awdur

Rhif Llyfr Rhyngwladol: 978 1 78461 349 5

Cyhoeddwyd ac argraffwyd yng Nghymru
ar bapur o goedwigoedd cynaladwy gan
Y Lolfa Cyf., Talybont, Ceredigion SY24 5HE
gwefan www.ylolfa.com
e-bost ylolfa@ylolfa.com
ffôn 01970 832 304
ffacs 832 782

CYNNWYS

Ynys Enlli

Bardsey Island

CYFLWYNIAD

I ni'r Cymry, fel i weddill pobl ynysoedd Prydain, mae'r tywydd yn rhan fawr iawn o'n bywydau. Mae hyd yn oed y newid lleiaf yn y gwynt a'r glaw yn ddigon i ysbrydoli a chynnal sgyrsiau hir o siarad mân. Pan ddaw hi'n dywydd mawr, mae ein hymatebion cymdeithasol a diwylliannol yn uniongyrchol, greddfol a chreadigol dros ben. Yn farddoniaeth neu chwedlau, darluniau neu ffotograffau, mae rhywbeth am y tywydd sy'n ysbrydoli. Yn y blynyddoedd diwethaf mae nifer o enghreifftiau o dywydd eithafol, yn enwedig stormydd a llifogydd, wedi taro Cymru. Yn aml iawn mae'r rhain yn ein synnu, ac fe'u gelwir yn ddigwyddiadau unigryw a digyffelyb yn y wasg. Fodd bynnag, mae llifogydd mwy wedi digwydd yn y gorffennol, a hynny'n amlach nag y maent yn digwydd heddiw. Mae'r gyfrol hon yn gymwynas fawr i'r drafodaeth gyhoeddus ar dywydd a hinsawdd gan ei bod yn dangos tystiolaeth hanesyddol a diwylliannol ein bod ni fel unigolion a chymunedau wedi profi, ac wedi ymdopi â'r digwyddiadau eithafol yma o'r blaen.

Dyma drysorfa o wybodaeth, atgofion, darluniau, llên gwerin a gwyddoniaeth am y tywydd a'r hinsawdd. Mae gan lawer o'r rhain gyswllt cryf gyda lleoedd ac mae eu henwau wedi magu arwyddocâd yn ein meddylfryd torfol cenedlaethol – Cwm Tryweryn, Cwm Elan, Cwmyreglwys, Aber-fan, Dolgarrog, a bellach Aberystwyth. Wrth gwrs, mae gan bob un ohonom ein lleoedd unigol hefyd sy'n dwyn ein profiadau personol ni i gof. Dwi'n sicr y bydd y lluniau a'r hanesion yn eich annog i deithio i'r lleoedd yma i brofi, dychmygu a chofio.

Mae lluniau Iestyn mewn llinach hir o gofnodi a dehongli'r tywydd a'r hinsawdd. Pan fyddwn ni, a brofodd stormydd 2013/2014, wedi hen fynd o'r tir a'n hatgofion gyda ni, bydd y lluniau arbennig yma, yn gelf ac yn gofnod, yn parhau.

To us as Welsh people, and to the other residents of the British Isles, the weather is a large part of our lives. Even the smallest changes in the wind and the rain can inspire and sustain extended small-talk conversations. When we experience extreme weather, our social and cultural responses are direct, instinctive and highly creative. In poetry or myth, paintings or photographs, something about the weather inspires. In recent years we in Wales have experienced a number of examples of extreme weather, including storms and floods. These often shock us, and the press call them unique and unprecedented. However, larger floods have happened in the past, and they have happened more frequently than they do today. This book is an important contribution to the public conversation about weather and climate as it shows historical and cultural evidence that we as individuals and communities have proven, and coped with these extreme events in the past.

This is a treasure trove of information, memories, images, folklore and science related to weather and climate. Many of these have strong links to places whose names have developed significance in our collective national consciousness – Tryweryn, Cwm Elan, Cwmyreglwys, Aber-fan, Dolgarrog, and now Aberystwyth. Of course, we all also have our own individual places where we are reminded of our personal experiences. I'm sure that the pictures and stories in this book will encourage you to visit these places to experience, imagine and remember.

Iestyn's pictures belong to a tradition of recording and interpreting the weather and the climate. When we, who experienced the storms of 2013/2014, are no longer here to tell the tale, the pictures, as art and record, will endure.

RHAGAIR

Fe'm hysgogwyd i baratoi'r gyfrol fach hon yn dilyn stormydd mawr 2013/2014 ar hyd arfordir Cymru. Roeddwn wedi amau bod rhywbeth mawr ar droed o fis Hydref ymlaen, ac fe fues i'n weddol ddiwyd wedyn yn cofnodi effaith y tonnau mawr a'r llifogydd gyda fy nghamera. Pan roddais ychydig o luniau o stormydd ardal Aberystwyth i fyny ar y we, yn sydyn, yn dilyn un trydariad gan rywun o'r BBC, fe ddechreuodd pobl yn eu degau o filoedd edrych arnynt. Pan edrychais un min nos ar ystadegau un o'm gwefannau, roedd nifer y cliciau ar fy lluniau yn codi fesul mil bob eiliad. Erbyn diwedd y noson honno roedd y lluniau wedi'u gweld dros chwarter miliwn o weithiau, ac yn ystod yr wythnosau nesaf, fe'u gwelwyd dros ddwy filiwn o weithiau, ac mae'r lluniau yn dal i dderbyn 'hits' hyd heddiw!

Gofynnwyd i mi gyfrannu rhai o'r lluniau a fideo, nid yn unig i'r cyfryngau newyddion, ond hefyd at ffilm fer ar yr amgylchedd, ac fe ysgogodd hynny a holl brofiad erchyll y gaeaf i mi feddwl yn fwy dwys am newid hinsawdd, ac am y tywydd a fu. Ydi'r tywydd anwadal diweddar wedi dod yn sgil newid hinsawdd, neu, o'i osod mewn cyd-destun hwy na chof un genhedlaeth, a yw'n rhan o batrwm naturiol tymor-hir?

Dyna ddechrau chwilio mewn llyfrau, adroddiadau swyddogol, cylchgronau, papurau newyddion a llu o wefannau i geisio olrhain ychydig o hanes tywydd mawr yng Nghymru. Yna, ar ôl creu rhestr fer o ddigwyddiadau perthnasol, chwilio trwy gatalogau degau o lyfrgelloedd ac archifdai i geisio cael gafael mewn lluniau diddorol a fyddai, gobeithio, yn tanio diddordeb ac yn datgelu rhywbeth am ein tywydd garw.

Pan oeddwn yng nghanol y chwilota, fe sylwais ar hysbyseb am ddarlith gyhoeddus ym Mhrifysgol Aberystwyth oedd yn ymwneud â phrosiect hynod o ddiddorol am hanes y tywydd ym Mhrydain. Darlith gan Dr Cerys Jones a Dr Sarah Davies, o Adran Ddaearyddiaeth Prifysgol Aberystwyth, oedd hi. Yn wir i chi, roedd peth o'u hymchwil yn cyffwrdd â'r hyn oedd gen i mewn golwg ar gyfer y gyfrol hon, ac rwy'n hynod ddiolchgar iddynt hwy a dau arall, sef Dr Hywel Griffiths a Sara Penrhyn Jones, am gyfeirio fy llygad at ffynonellau buddiol, a gosod fy nhraed ar lwybrau cadarn. Roedd diddordeb ym mhwnc y tywydd a'r ffynonellau archifol a fyddai'n goleuo'i hanes, felly, yn bodoli eisoes. Roedd ychydig o bapurau academaidd wedi'u cyhoeddi (e.e. gwaith diddorol ar ffynonellau llenyddol am y tywydd, gan Dr Cathryn Charnell-White), ac roedd gwefan 'Eira Ddoe' ar safle'r Llyfrgell Genedlaethol yn yr arfaeth. Cynhyrchwyd drama, *Mr Bulkeley o'r Brynddu*, wedi'i hysgrifennu ar sail dyddiaduron ffermwr blaengar a chofnodwr y tywydd o'r 18fed ganrif, sef William Bulkeley o Fôn, a rhoddwyd sganiau digidol ohonynt ar y we gan Brifysgol Bangor.

I'r rhai sy'n cael blas ar y gyfrol hon, ac am ymchwilio ymhellach, mae'r gwaith ymchwil academaidd Cymreig sydd wedi'i gyflawni eisoes yn fan da i ddechrau edrych i mewn i bethau o ddifrif. Gan nad yw cyfrol brint yn arbennig o hwylus ar gyfer nodi ffynonellau ar y we, rwyf wedi creu tudalen ar fy ngwefan bersonol efo dolenni at ystod o safleoedd defnyddiol: www.atgof.co/tywydd. Gyda lwc, fe fydd y dudalen honno'n aros yn 'fyw' am flynyddoedd wedi dyddiad cyhoeddi'r gyfrol hon.

Rwy'n ddyledus nid yn unig i'r academyddion, ond hefyd i'r holl unigolion, llyfrgelloedd ac archifdai a ymatebodd i'm hymholiadau, ac a gyfrannodd luniau at y gyfrol, yn enwedig y Llyfrgell Genedlaethol, Toby Driver a staff Comisiwn Brenhinol Henebion Cymru. Mae fy niolch yn fawr i'r holl gyfranwyr, a cheir eu henwau ger y lluniau.

Rwy'n ddyledus hefyd i fy ngwraig, Marian, am ei hamynedd, ac am wynebu blwyddyn ddiwyliau, wrth i mi feddwl am fawr ddim arall heblaw'r tywydd.

Dymunaf ddiolch i holl staff gwasg y Lolfa sydd wedi cyfrannu at gyhoeddi'r gyfrol hon, yn enwedig i Lefi Gruffudd am gefnogi'r syniad yn wreiddiol, ac i Meinir Wyn Edwards am ei hynawsedd, ei hamynedd, a'i gwaith golygu praff wrth lywio'r cyfan o dudalen wag i lyfr gorffenedig. Diolch hefyd i Gyngor Llyfrau Cymru am gefnogi cyhoeddi'r gyfrol.

I was motivated to compile this book following the terrific storms of 2013/2014 which thrust Aberystwyth into the media spotlight. Having always been someone who took a peculiar delight in storm watching, I hung around and documented much of this exceptional period with my camera, and having placed some photographs on the web, I was inundated with requests for images. Over a very short period the pictures received over two million views.

I was asked to contribute to a film on the weather and climate change, and this stirred my interest in the broader historical context of the weather as it had affected Wales over the centuries.

Shortly after I began looking into the subject, I stumbled upon a research project on historical weather resources at Aberystwyth University, and I'm grateful to Drs Cerys Jones, Hywel Griffiths and Sarah Davies for their enthusiastic reception, help and advice. Their work, that of Dr Cathryn Charnell-White and the National Library of Wales project 'Eira Ddoe' is a good starting point for anyone wishing to find out more.

Although this is primarily a Welsh-language book, the picture captions are bilingual, helping the less-fluent reader to appreciate their context. A list and links to some resources will be available on my website www.atgof.co/tywydd.

I am also indebted to all the individuals, libraries and archives that responded to my enquiries, and those who provided images for the book, especially the National Library of Wales, Toby Driver and the Royal Commission on the Ancient and Historical Monuments of Wales. I am very grateful to all those archives or individual contributors who are named in the picture credits, and to all the photographers who, over the decades, faced the weather with their cameras.

Thanks are also due to all the staff at the Lolfa whose team effort produced this book, especially to Lefi Gruffudd who commissioned the work, and Meinir Wyn Edwards who steered everything through the editorial process, and to the Welsh Books Council for their invaluable support.

Iestyn Hughes (Hydref 2016)

'Y Bardd' gan Thomas Jones, Pencerrig (1774). Ymateb darluniadol i'r gerdd 'The Bard' gan Thomas Gray. Mae'r 'bardd olaf' yng Nghymru yn sefyll ac yn canu yng nghanol rhyferthwy'r storm, cyn taflu ei hun dros y dibyn – trosiad am ddyfodiad byddin Edward I, a'r dinistr y byddai'n ei achosi i'r hen Gymry.

'The Bard' by Thomas Jones, Pencerrig (1774). A dramatic painting based on a poem of the same title by Thomas Gray, depicting the last surviving bard standing amidst an encroaching storm – symbolizing the destruction wrought by Edward I against the Welsh.
The bard is about to leap to his death.

DAROGAN

Mae gen i faromedr ger y drws ffrynt, a phob bore am flynyddoedd fe fyddwn yn ei ddeffro gyda thap bach ysgafn ar ei wyneb. Arno y mae'r geiriau 'Ystormus, Cyfnewidiol, Sych iawn'. Mae'r ddyfais fach syml hon, sy'n mesur pwysedd yr atmosffer, yn wych am ddarogan sut hwyl fydd ar y tywydd am weddill y dydd (ac felly, i raddau, sut hwyl fydd arna i hefyd!). Pwysedd isel – tywydd gwael; pwysedd uchel – tywydd braf. Y cyfan sydd y tu mewn iddo yw blwch bach o fetel, sbring, a braich sy'n symud nodwydd o un cyfeiriad i'r llall.

Erbyn heddiw, er bod yr hen faromedr yn dal ger y drws, anaml y byddaf yn cofio'i ddeffro. Y dyddiau hyn rwy'n tapio ap ar fy ffôn symudol i gael gwybod beth fydd y tywydd am y diwrnod neu'r wythnos sydd i ddod. Y tu cefn i'r ap bach ar y ffôn mae rhwydwaith cymhleth ryfeddol yn gweithredu mewn cytgord – peiriannau casglu data o bob cwr o'r byd, lloerennau tywydd yn y gofod, rhai o'r cyfrifiaduron mwyaf pwerus sy'n bod, heb sôn am fyddin o bobl glyfar dros ben yn gweithio popeth. Mae miloedd o fusnesau ar draws y byd bellach yn dibynnu bron yn llwyr ar y rhagolygon manwl hyn ar gyfer trefnu eu gwaith yn effeithiol.

Cyn bod baromedrau ar gael yn gyffredin, heb sôn am apiau, roedd pobl yn dibynnu ar bob math o arwyddion sydd i'w gweld ym myd natur er mwyn dyfalu hynt y tywydd – er enghraifft, gosod gele mewn jar o ddŵr: os oedd y gele'n ceisio dringo allan, fe fyddai hynny'n arwydd o storm.

Un ffordd o gofio a throsglwyddo gwybodaeth ynghylch sut i 'ddarllen' yr arwyddion hyn yw trwy ddefnyddio rhigymau bach bachog, ac mae llu ohonynt wedi goroesi ac wedi'u casglu, a'u cyhoeddi. Er enghraifft:

> Yr wylan fach adnebydd
> Pan fo hi'n newid tywydd,
> Ehed yn deg ar adain wen
> O'r môr i ben y mynydd.
> (Triban Morgannwg)

Ers talwm, cyn i wyddoniaeth drawsnewid ein ffordd o feddwl, fe fyddai pob math o goelion am y tywydd. Roedd tywydd eithriadol – mellt, corwyntoedd, llifogydd ac yn y blaen – yn cael ei gyplysu efo grymoedd goruwchnaturiol. Weithiau roedd y tywydd yn rhagfynegi ffawd dyn – tywydd gwyllt yn darogan dinistr a cholled, a thywydd braf yn darogan llwyddiant. Mae nifer o esiamplau o dywydd yn effeithio ar gwrs hanes, e.e. methiant yr Armada o Sbaen i orchfygu Lloegr yn 1588 oherwydd i wyntoedd mawr godi a chwalu'r llynges; neu eira a stormydd ym mis Awst 1402 yn atal byddinoedd brenin Lloegr rhag ymosod ar Owain Glyndŵr. Mewn achosion fel hyn fe fyddai'r arweinwyr buddugol yn cael eu dyrchafu fel rhai cyfiawn yng ngolwg Duw – buddugoliaeth Elizabeth I yn dangos sêl bendith Duw ar gywirdeb y gred Brotestannaidd, neu Owain Glyndŵr yn wir Dywysog Cymru, yn fab darogan. Mewn celf a llenyddiaeth, defnyddir natur y tywydd yn aml iawn fel trosiad, neu i gyfleu profiad, a cheir canu am y tywydd yn ein llenyddiaeth gynharaf.

Mae 'Marwnad Llywelyn ap Gruffudd' gan Gruffudd ab yr Ynad Coch (c. 1282) yn esiampl wych o gyfuno digwyddiad arwyddocaol, hanesyddol, trist – colli Llywelyn – gyda delweddau o'r tywydd, fel petai'r tywydd ei hun yn galaru am y golled fawr:

Poni welwch-chwi hynt y gwynt a'r glaw?
Poni welwch–chwi'r deri'n ymdaraw?
Poni welwch-chwi'r môr yn merwinaw'r tir?
Poni welwch-chwi'r gwir yn ymgweiriaw?
Poni welwch-chwi'r haul yn hwylaw'r awyr?
Poni welwch-chwi'r sŷr wedi r'syrthiaw?
Poni chredwch-chwi i Dduw, ddyniadon ynfyd?
Poni welwch-chwi'r byd wedi r'bydiaw?

Un o'r esiamplau cynharaf o ganu am y tywydd yw cerdd am y gaeaf sydd wedi'i chofnodi yn llawysgrif Llyfr Du Caerfyrddin o'r 13eg ganrif. Dyma rai o'r llinellau mwyaf cofiadwy:

Llym awel, llwm bryn, anodd caffael clyd,
Llygrid rhyd, rhewid llyn;
Rhy saif gŵr ar un conyn.

Roedd y bardd hynod hwnnw Dafydd ap Gwilym yn byw yng nghanol Oes yr Iâ Fach, ac fel un oedd yn teithio ymhell ac yn aml, roedd y tywydd weithiau yn ei drechu. Mae ei ddisgrifiadau o'r tywydd oer yn gain iawn, e.e. y pibonwy fel 'dagrau oer, dagerau iâ'.

Math arall o gerdd a oedd yn boblogaidd, yn enwedig yn y 18fed ganrif, yw'r faled, neu'r 'Gerdd Newyddion', ac mae enghreifftiau lawer o'r cerddi hyn, a ganwyd ac a werthwyd mewn ffeiriau, yn ymwneud â helyntion y tywydd, megis 'Eira ym Mai y flwyddyn 1741' neu 'Y Llongddrylliad':

Yn uwch, yn uwch cyfodai'r gwynt,
Oer helynt oedd i'r hwyliau;
Y llong heb lyw na llywydd âi,
A syrthio wnâi'r hwylbrennau.
(Edward Hughes, 1772–1850)

Cyhoeddiad poblogaidd o'r 17eg i'r 20fed ganrif oedd yr almanac. Rwy'n cofio bwndel o rai 'Old Moore' ac ambell un Cymraeg hen iawn acw rywbryd. Ynddynt roedd gwybodaeth ddefnyddiol am y flwyddyn i ddod, pethau megis amserau'r lleuad a'r llanw, dyddiau gŵyl, cyngor ynghylch pryd i hau ac i fedi, pytiau bach hanesyddol, a rhai pethau rhyfedd dros ben, fel petaent wedi'u taflu i mewn i lenwi bwlch. Ond yn ambell un roedd hefyd elfen o rag-weld neu ddarogan digwyddiadau mawr.

Wynebddalen Almanac Thomas Jones, 1683 – 'Newydd oddiwrth y Sêr'.
Title page of an early Welsh almanac – 'News from the Stars', Thomas Jones, 1683.

© Llyfrgell Genedlaethol Cymru

Tra bo rhai o'r almanacwyr yn honni darogan y dyfodol drwy ddarllen y sêr, roedd eraill wrthi'n ddyfal yn casglu gwybodaeth fanwl am y tywydd, er mwyn gwella'r ddealltwriaeth ohono, ac i osod seiliau gwyddonol ar gyfer yr hyn rydym erbyn heddiw yn ei gymryd yn ganiataol – y system gyfoes o rag-weld a rhybuddio am y tywydd.

Mae hanes casglu gwybodaeth am y tywydd ym Mhrydain yn mynd yn ôl i'r 17eg ganrif, ac mae'r cofnodion am y tymheredd – sef y CET (Central England Temperature) – yn dyddio'n ôl i 1659. Yn ogystal, mae cofnodion glaw yr Hadley Centre (HadUKP) yn mynd yn ôl i 1766, er ei bod hi'n anodd gwahaniaethu rhwng gwybodaeth am Gymru a gwybodaeth am rannau eraill o Brydain.

Yn 1854 sefydlodd y Llywodraeth swyddfa i arbrofi ac i ddysgu mwy am y tywydd. Penodwyd y Capten Robert FitzRoy yn bennaeth arni (ef oedd capten y *Beagle,* llong ymchwil y bu Darwin ar ei bwrdd, ar y fordaith bum mlynedd o gwmpas y byd). Aeth ef ati i ddatblygu dulliau gwyddonol o astudio'r tywydd ar y môr. Wedi llongddrylliad y *Royal Charter* yn 1859, bu rhywfaint o newid yn rôl y swyddfa, a dechreuodd roi pwyslais ar rag-weld a rhybuddio. Datblygodd FitzRoy system rybuddio am stormydd, a fyddai'n cael ei gosod ger mynedfeydd i borthladdoedd. Yn ystod y nos, byddai'r rhybuddion yn cael eu goleuo gan danau. Datblygwyd y swyddfa arbrofi yn Swyddfa'r Tywydd (Met Office), a bu ei dylanwad yn fawr ac yn fyd-eang ar wyddor darogan y tywydd. Yn 1861 cyhoeddwyd rhagolygon tywydd y môr (yr enwog *shipping forecast*) am y tro cyntaf.

Yn 1959 dechreuwyd cyfrifiaduro gwaith y swyddfa (yn groes i ddymuniad nifer o'r gweithwyr ar y pryd), ac fe arweiniodd hyn yn y diwedd at fuddsoddiad yn rhai o gyfrifiaduron mwyaf pwerus y byd ar gyfer dadansoddi a modelu'r holl elfennau sy'n creu'r tywydd. Yn 1977 anfonwyd y lloeren dywydd gyntaf i'r gofod.

Mewn cwta ganrif, roedd maes 'darogan y tywydd' felly wedi symud o fyd gelod mewn jariau i fyd y *supercomputers,* ac o fyd sêr-ddewiniaeth i fyd y lloerennau.

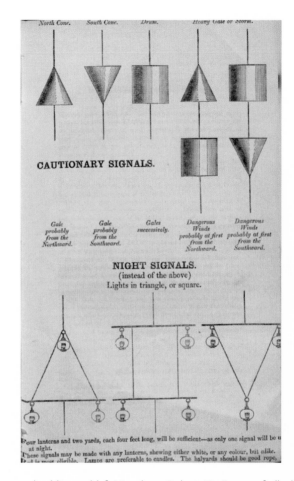

System o rybuddion a ddyfeisiwyd gan Robert FitzRoy a sefydlodd Swyddfa'r Tywydd, mewn ymateb i drychineb y *Royal Charter* yn 1859. Fe fyddai'r symbolau yn cael eu codi ar bolion ger mynedfa'r harbwr, er mwyn rhybuddio llongwyr am y tywydd.

The system of 'cautionary signals' invented by Robert FitzRoy of the fledgling Meteorological Office, in response to the loss of life incurred by the sinking of the Royal Charter *in 1859. These were hoisted near harbours to give shipping warning of storms. FitzRoy developed a system of recording and studying the ocean's weather, and the first shipping forecast, using the telegraph, was issued in 1861.*

© Crown Copyright, Met Office / Y Goron, Swyddfa'r Tywydd

Copi o'r Tempest Prognosticator, neu faromedr gelod Dr Merryweather, mewn amgueddfa faromedrau yn Okehampton. Fe wnaed y ddyfais wreiddiol ar gyfer Arddangosfa Fawr 1851. Y theori yw fod y gelod yn y jariau yn synhwyro bod storm ar y ffordd ac yn dringo i fyny ochr y jar. Roedd hynny'n gwneud i'r ddyfais wyro a tharo morthwyl yn erbyn cloch. Doedd y ddyfais ddim yn llwyddiant masnachol.

A copy of Dr Merryweather's Tempest Prognosticator – from the barometer museum in Okehampton – which utilized leeches to predict and warn of storms. In theory, the leeches, held in jars, upon sensing a storm would climb upwards, tipping the device and triggering a hammer, which would sound a bell. It was made for the 1851 Great Exhibition, but was never produced commercially.

Gan Badobadop (Gwaith gwreiddiol) [CC BY-SA 4.0]

Coelion a rhigymau am y tywydd a gofnodwyd gan Gwallter Mechain (Walter Davies, 1761–1849).

Weather sayings and rhymes collected by Gwallter Mechain (Walter Davies, 1761–1849).

© Llyfrgell Genedlaethol Cymru

'Portents of death and destruction' (c. 1910). Mewn llenyddiaeth a choel gwlad, roedd arwyddion y tywydd a digwyddiadau anarferol yn yr atmosffer yn gallu bod yn rhagfynegiant o farwolaeth a dinistr.

'Portents of death and destruction' (c. 1910). Thunder and lightning falling on a deserted landscape; left, skull and crossbones; centre, a falling star or asteroid; right, a bier, marked with the heads of three Orientals.

© Wellcome Library, London. Wellcome Images

Mae'r morfab – creadur â chorff dyn a chynffon pysgodyn – yn ymddangos mewn chwedlau ar draws y byd. Ymhlith pob math o ddrygioni ac anfadwaith, byddai'n cael y bai am achosi stormydd ar y môr.

A merman by the sea. Mermen were mythical creatures similar to mermaids, and they were blamed for all kinds of mischief and for causing storms.

© Wellcome Library, London. Wellcome Images

Mae pawb ym mhob oes yn mwynhau'r heulwen! Merched yn cael hwyl yn yr hindda ar y traeth yn Aberystwyth, c. 1930.

Sunshine in Wales is a joy in all eras. Young ladies having fun on the beach at Aberystwyth, c. 1930.

© Imagno/Austrian Archives (S)/Topfoto

SYCHDER

Y mae'r gwair yn gwta cas
Ar dyddyn dulas Dwylan;
Anodd codi coflaid fawr
Ar waelod llawr Llanengan;
Ni welais i mo'i fath erioed –
R wy'n ddeugain oed Ŵyl Ifan.

(Hen bennill)

Nid yn aml y mae rhywun yn cysylltu'r ddau air 'Cymru' a 'sychder' efo'i gilydd. Mae'r wlad yn enwog am ei glaw a'i gwyntoedd arfordirol, yn hytrach nag am grinder. Er bod rhannau o dde Lloegr wedi dioddef o brinder dŵr oherwydd cyfuniad o dywydd sych, anghenion diwallu ardaloedd o boblogaeth ddwys, ac i ryw raddau yn sgil isadeiledd diffygiol, nid ydym ni yng Nghymru wedi dioddef rhyw lawer iawn mewn cymhariaeth.

Serch hynny, fe gafwyd cyfnodau sych iawn o fewn cof y rhai hirhoedlog yn ein plith, megis hafau 1947, 1959, 1976, 1989, 2003, 2005, 2006 a 2010. Roedd haf 1976 yn un arbennig o sych, heulog a phoeth – y poethaf ers o leiaf 350 o flynyddoedd, yn ôl y sôn ar y pryd. Dyma hefyd yr haf sychaf ers dechrau cadw cofnodion am y tywydd; roedd i hynny oblygiadau difrifol i'r amgylchedd, ac roedd pwysau mawr ar gyflenwadau dŵr tap. Pasiwyd 'Deddf Sychder' (Drought Act), a phenodwyd Denis Howell yn 'Weinidog dros

Sychder' yn San Steffan. Roedd cronfeydd ar eu hisaf, rhai afonydd yn sych, ac mewn rhai trefi roedd dŵr yn cael ei ddogni. Gellir olrhain dechrau'r broblem yn ôl i 1975 a'i aeaf sych iawn, ac fe wnaeth gwres mawr yn ystod haf '76 sefyllfa wael yn un argyfyngus. Sychder 'meteorolegol' oedd digwyddiad haf 1976, wedi'i achosi gan system o bwysedd uchel uwchben Prydain am fisoedd. Fe ddigwyddodd rhywbeth tebyg wedyn yn 2003.

Chefais i fawr o flas ar haf hirfelyn 1976, gan fod gen i arholiadau gradd, ac yn syth wedyn roeddwn yn dechrau ar fy ngyrfa waith, ac yn methu cymryd gwyliau am chwe mis. Oherwydd hyn fe gollais un o ddigwyddiadau diwylliannol Cymraeg mwyaf cofiadwy'r cyfnod modern, sef Eisteddfod Genedlaethol Aberteifi – neu ar lafar, 'Eisteddfod y Llwch'! Fe'i cofir am y gwres llethol, y llwch, a hefyd am helynt y cadeirio. Dyma eisteddfod awdl 'Y Gwanwyn' gan Dic Jones, a ddyfarnwyd yn arobryn yn wreiddiol, cyn deall pwy oedd yr awdur (roedd ef yn anghymwys i gystadlu oherwydd ei fod yn aelod o un o'r pwyllgorau lleol). Dyfarnwyd y gadair felly i Alan Llwyd, a'i wneud yn enillydd 'y dwbl' gan iddo hefyd gipio'r goron yno am ei ddilyniant o gerddi ar y testun 'Troeon Bywyd'.

Heblaw am y trafferthion amlwg a achosir gan gyfnod hir o sychder, o gefn gwlad i ganol trefi, mae tir sych a chronfeydd gweigion yn gallu datgelu pob math o ryfeddodau. Cafwyd cyfnod cofiadwy o sychder yn 1989, gyda chronfeydd dŵr unwaith eto'n bur isel, a waliau mynwent Capel Celyn, fel yn 1976, i'w gweld yn eglur yng nghanol crinder cronfa ddŵr Tryweryn. Dyma gyfle i bobl gerdded at yr hen furiau, i gofio'r hyn a ddigwyddodd yno pan foddwyd ardal Gymraeg ddiwylliedig i ddiwallu anghenion diwydiannau glannau Mersi. Gadawodd un, o leiaf, ei sylwadau ar furiau'r lle, ac mae'n rhyfedd meddwl bod y geiriau hynny efallai yna o hyd, yn berwi o ddicter mud ar furiau sydd bellach yn ôl dan y dŵr.

Yn rhyfedd iawn, fe fu sychder hefyd yn y flwyddyn y mae pawb yn ei chofio am eira mawr, rhew a llifogydd, sef 1947. Diffyg glaw, yn hytrach na gwres mawr, a achosodd y sychder hwn, ac fel yn Nhryweryn yn '76 ac '89, datgelwyd rhywbeth go ryfedd. Tyrrodd cannoedd o bobl yn ystod sychder 1937 ac 1947 i weld olion tŷ Nantgwyllt yng Nghwm Elan. Roedd lefel y dŵr yn y cronfeydd yn llawer iawn is nag arfer, a sgerbydau muriau i'w gweld yn blaen. Yno y bu'r bardd Shelley yn aros am gyfnod yn 1812, ac roedd ef a'i wraig ifanc, Harriet, wedi gobeithio ymsefydlu yno. Pharhaodd y briodas ddim yn hir, ac fe foddodd Harriet ei hun yn y Serpentine yn Llundain, a boddi wnaeth Shelley yntau, wrth hwylio ger arfordir yr Eidal yn 1822. Llosgwyd ei gorff ar draeth ger Viareggio. Rhyfedd o fyd fod y tŷ yr oeddynt mor hapus ynddo am gyfnod hefyd wedi'i foddi, a hynny er mwyn darparu dŵr glân i Birmingham.

Bu farw tua 20,000 o bobl ar draws Ewrop o ganlyniad i wres llethol mis Awst 2003, gan gynnwys 2,000 ym Mhrydain. Disgynnodd afonydd mawr megis afon Danube i'w lefel isaf ers canrif, ac ymledodd tanau dros gannoedd o filoedd o aceri. Cyfyngwyd ar gyflymder trenau ym Mhrydain er mwyn eu hatal rhag gadael y cledrau oherwydd effaith tymheredd o dros 30 gradd arnynt. Cofnodwyd tymheredd cyson o dros 38 gradd yng Nghaint. Yn rhyfedd iawn, mae lluniau lloeren yn dangos Ewrop hollol ddigwmwl yn ystod y cyfnod hwn, ond cymylau dros Gymru! Serch hynny, ar adegau, fe fuodd hi'n arbennig o boeth, ac fe fydd Awst 2003 yn aros yng nghof llawer o bobl, naill ai fel un o'r hafau gorau erioed, neu'r gwaethaf iddynt ei brofi.

Roedd gaeaf 2009/10 yn sych yn y gorllewin, a chafwyd yr Ionawr sychaf er 1926, ac yna gwanwyn sych i ddilyn. Erbyn dechrau'r haf roedd pryder am sychder dwys yng ngogledd Cymru. Roedd 2011 hefyd yn flwyddyn sych mewn rhai mannau, a rhwng 2010 a 2012 dim ond 85% o'r glaw arferol a ddisgynnodd dros y rhan fwyaf o Gymru a Lloegr. Unwaith eto, roedd lefel cronfeydd dŵr yn isel a chafwyd amryw o danau ar fryniau lle roedd y tyfiant yn grin.

Rydym yn tueddu i ddefnyddio llawer o dermau cyfarwydd am y tywydd yn llac, ac mae 'sychder' (*drought*) yn un ohonynt. Mae sychder yn digwydd pan fydd mwy o wlybaniaeth yn gadael y tir (e.e. oherwydd anweddiad pan fydd y tymheredd yn uchel, neu drydarthiad drwy ddail y coed) nag sy'n cael ei roi yn ôl. Yn gyffredinol, ym Mhrydain, mae 'sychder' yn cael ei ddefnyddio i ddisgrifio cyfnod o dros dair wythnos pan fydd yn glawio llai na thraean o'r hyn sy'n arferol yr adeg honno o'r flwyddyn. Mae'r term 'sychder absoliwt' (*absolute drought*) yn cael ei ddefnyddio os bydd llai na 0.2 mm o law yn disgyn mewn unrhyw gyfnod o bymtheg diwrnod neu ragor. Nid yw'r termau yn gyson ar draws y byd, e.e. mae'r diffiniadau mewn gwledydd sych iawn megis rhai'r Dwyrain Canol yn bur wahanol, fel y gellid disgwyl.

Muriau mynwent Capel Celyn yn ymddangos o'r gwaddod, yn ystod mis Medi 1989. Boddwyd y cwm ac adeiladwyd y gronfa, a agorwyd ar 21 Hydref 1965, yn groes i ddymuniadau'r rhelyw o bobl Cymru, i gyflenwi dŵr i ardal Lerpwl.

Sunken walls of Capel Celyn graveyard emerge, September 1989. The reservoir, which drowned the traditional Welsh valley, was built in the face of a national outcry, to supply Liverpool with water. The reservoir was opened on 21 October 1965.

© Fortean/Topfoto

Cronfa ddŵr yng ngorllewin Morgannwg bron yn wag yn ystod haf sych 2005.

A west Glamorgan reservoir almost empty during the hot summer of 2005.

© Topfoto

Er mai oherwydd y gaeaf caled y cofir y flwyddyn 1947, cafwyd haf sych iawn hefyd. Dyma Gronfa Ddŵr Penygwely yn sir Ddinbych y flwyddyn honno.

1947 is remembered for its devastating winter, but the summer was notably dry. Penygwely Reservoir, Denbighshire.

© Llyfrgell Genedlaethol Cymru, Casgliad Geoff Charles

Tynnu coes darllenwyr *Y Cymro*. 'Jim L'Hulotte o Ffrainc' yn golchi tatws mewn dŵr hallt yng ngwylfa adar Ynys Enlli, Medi 1959. Ond Peter Hope Jones oedd y 'spud basher' yn y llun. Roedd yna wir brinder dŵr, serch hynny.

A lighthearted take on a serious water shortage on Bardsey Island, September 1959. 'Jim L'Hulotte', a Frenchman, washes potatoes in sea water at the bird hide. The young man was not 'the Owl', but Peter Hope Jones having a giggle at the expense of the newspaper. The situation, however, was serious.

© Llyfrgell Genedlaethol Cymru, Casgliad Geoff Charles

12 Awst 1976. Arolygydd y cyflenwad dŵr, Cyril Williams, yng Nghronfa Taf Fechan, oedd bron yn hollol wag.

12 August 1976. Supply superintendent Cyril Williams surveying the almost empty Taf Fechan Reservoir.

© Frank Barratt/Fox Photos/Getty Images

Cronfa ddŵr Cantref, Nant-ddu, Bannau Brycheiniog, sy'n cyflenwi Caerdydd â dŵr, yn ystod sychder 2010.

Cantref Reservoir, Nant-ddu, in the Brecon Beacons, which supplies Cardiff with water, during the 2010 dry spell.

© Mirrorpix

Nikki Foxwell yng Nghwm Elan, haf 1976. Mae cronfeydd Cwm Elan yn cyflenwi dŵr i Birmingham.

Nikki Foxwell in the Elan Valley, summer 1976. The Elan reservoirs supply water to Birmingham.

© Mirrorpix

Camelod o Barc Longleat yn cerdded ar draws cronfa ddŵr, sir Fynwy, Awst 1976.

Camels from Longleat Safari Park cross a depleted reservoir, Monmouthshire, August 1976.

© Mirrorpix

Muriau Capel Celyn i'w gweld wrth i lefel y gronfa ddŵr ddadleuol ostwng.

As the water level drops in the Tryweryn Reservoir, walls from the drowned valley emerge.

© Alcwyn Evans

Yn ystod haf chwilboeth 1976, fe dynnodd Alcwyn Evans gyfres o luniau oedd yn dal ysbryd y cyfnod yn Eisteddfod y Llwch, Aberteifi.

During the long, hot summer of 1976, Alcwyn Evans took a series of pictures which captured the moment at 'The Dusty Eisteddfod' at Cardigan.

© Alcwyn Evans

Toddi yn y gwres wrth ddisgwyl y dyfarniad yng nghystadleuaeth y Goron, Eisteddfod Genedlaethol 1976. Alan Llwyd oedd enillydd y 'dwbl' (coron a chadair) y flwyddyn honno am yr ail dro.

Standing in the baking heat, waiting to hear the name of the winner of the Crown at the National Eisteddfod, 1976. Alan Llwyd won the 'double' (crown and chair) that year, for the second time.

© Alcwyn Evans

Pawb yn dianc i lan y môr. Dyma draeth Mwnt ganol haf 1976. Fe ddaeth i feddiant yr Ymddiriedolaeth Genedlaethol yn 1963.

Escape from the unbearable heat to the warm waters at Mwnt beach. The beach and cliffs became the property of the National Trust back in 1963.

© Alcwyn Evans

Traeth Dinbych-y-pysgod adeg gwres
mawr Awst 2014.

Tenby heatwave, August 2014.

© Hawlfraint y Goron: CBHC

Cyfnod sych iawn yn 1996 ac olion dinas Rufeinig Venta Silurum, Caer-went, i'w gweld yn eglur o'r awyr.

A dry period during 1996 reveals the outline of the Roman city of Venta Silurum, Caer-went.

© Hawlfraint y Goron: CBHC

Y tywydd sych yn datgelu olion safle angori awyrlongau'r Rhyfel Byd Cyntaf yn Carew Cheriton, sir Benfro, Gorffennaf 2013.

Dry conditions reveal parchmarks where a WWI airship station once stood at Carew Cheriton, Pembrokeshire, July 2013.

© Hawlfraint y Goron: CBHC

35

Datgelu olion gwersyll carcharorion o'r Ail Ryfel Byd, Dinefwr, 2006.

Huts used as a WWII prisoner of war camp at Dinefwr reveal their scars during a dry spell, 2006.

© Hawlfraint y Goron: CBHC

LLIFOGYDD

Gormod o ddŵr nid yw dda. Y gwrthwyneb i sychder yw llifogydd, ac yn wir y mae Cymru drwyddi draw wedi gweld digon o'r rheini. Yn wahanol i sychder, sydd yn aml yn effeithio ar dalpiau mawr o'r wlad, mae llifogydd yn tueddu i gael effaith fwy lleol.

Fe ddigwyddodd un o'r llifogydd gwaethaf i effeithio ar Gymru yn 1607. Ysgubodd ton anferth ar hyd arfordir y de, o Dalacharn i lawr i Wlad yr Haf a Dyfnaint, ac i fyny glannau afon Hafren. Boddwyd miloedd o aceri o dir gan ddŵr hallt, a'i ddiffrwythloni am flynyddoedd. Dros y canrifoedd, fe feiwyd dial gan Dduw, y tywydd neu storm fawr, anghyffredin ar y môr am y digwyddiad. Yn llawer mwy diweddar, yn 2002, awgrymodd y gwyddonwyr Simon Haslett a Ted Bryant y posibilrwydd mai swnami a achosodd y llif. Mae eu dadansoddiad o'r dystiolaeth a geir mewn adroddiadau cyfoes, a'r dystiolaeth ffisegol sydd ar ôl, yn awgrymu nad y tywydd oedd yn gyfrifol am y llifogydd, ond yn hytrach fod dirgryniad neu dirlithriad tanddaearol ger arfordir Iwerddon wedi achosi swnami.

Amcangyfrifwyd ganddynt, os swnami oedd yr achos, y byddai'r don yn 13 troedfedd o uchder yn ardal sir Benfro, yn 18 troedfedd ym Morgannwg, ac oherwydd siâp 'twndish' yr arfordir y byddai wedi codi i 25 troedfedd o uchder yn sir Fynwy. Yn yr ardal honno, fe fyddai'r don yn teithio ar gyflymder o 38 milltir yr awr. Beth bynnag oedd y rheswm, pe bai'r un peth yn digwydd heddiw fe fyddai achos ychwanegol gennym i bryderu, gan y byddai gorsafoedd niwclear Hinkley Point ac Oldbury o fewn cyrraedd i'r fath lif.

Mae 'cynnydd' bron bob amser yn golygu bod y ddynoliaeth i ryw raddau yn ceisio ystumio, rheoli, gwyro neu liniaru effeithiau natur. Mae hyn yn arbennig o wir o ran rheoli dŵr. Mae'r defnydd o afonydd yng Nghymru, fel ar draws y byd, wedi bod yn destun helynt. Harneisiwyd grym y llif a gwyrth y dŵr ers dyddiau cynharaf dynol ryw hyd heddiw i wneud gwaith er budd dynoliaeth, o droi'r felin gyntefig neu ddyfrio tiroedd sych i reoli gwres yr atomfeydd sy'n cynhyrchu ein trydan. Ond weithiau mae dyfeisgarwch y ddynoliaeth yn gwthio'r ffiniau'n rhy bell, a hynny gyda chanlyniadau trychinebus.

Mae hanes dilyw yn ymddangos mewn llenyddiaeth gynnar iawn, er enghraifft 'Epig Gilgamesh' gan y Phoeniciaid, a'r hanes sy'n hynod o debyg, sef stori Noa yn y Beibl Cristnogol. Esiampl gynnar, chwedlonol, o flerwch dyn yn achosi dinistr dyfrllyd yw stori Cantre'r Gwaelod. Yn ymestyn allan am filltiroedd lawer ym Mae Ceredigion roedd tiroedd mwyaf ffrwythlon y Brenin Gwyddno Garanhir. Roedd hwn yn dir isel, ac roedd yn rhaid ei warchod a rheoli llif y dyfroedd gyda chloddiau a llifddor. Ond yna fe feddwodd y gwyliwr, Seithenyn, a chysgu; anghofiodd gau'r amddiffynfa, ac fe foddwyd y tir gan ddŵr y môr. Dihangodd y brenin am ei fywyd ar hyd Sarn Cynfelyn. A dyna i chi sawl moeswers i ni eu hystyried heddiw mewn un hen stori fach. Yn wir, roedd gwlyptiroedd a choedwigoedd yn ymestyn yn bell i Fae Ceredigion filoedd o flynyddoedd yn ôl, ac mae sawl 'sarn' gerrig sy'n dyst i rym yr hen rewlifoedd i'w gweld, fel hen ffyrdd yn arwain tua'r bae.

Yn nes at ein hamser ni, ar 2 Tachwedd 1925, fe ddigwyddodd trychineb Dolgarrog. Ar ddiwedd cyfnod gwlyb a barodd am ryw ugain niwrnod, fe dorrodd muriau cronfa ddŵr Llyn Eigiau uwchlaw pentref Dolgarrog yn Nyffryn Conwy. Y prif ddiwydiant yno ar y pryd oedd gwaith aliwminiwm, ac roedd cadwyn o ddwy gronfa ddŵr yn bwydo'r gwaith hwnnw. Fe redodd y dŵr o Lyn Eigiau i mewn i gronfa Coedty, ac fe dorrwyd honno hefyd, a rhuodd y llif ymlaen a rhuthro drwy bentref Dolgarrog, gan ysgubo adeiladau i ffwrdd, a lladd 16 o'r trigolion.

Er bod y ddamwain wedi digwydd yn dilyn cyfnod hir o law, doedd swm y glaw a ddisgynnodd ddim yn llawer mwy na'r cyfartaledd arferol. Yr hyn oedd o'i le yn Nolgarrog oedd y dull yr oedd dynion wedi ei fabwysiadu i geisio harneisio grym natur: roedd seiliau annigonol muriau'r argae yn gollwng yn raddol bach, nes iddyn nhw roi a chwalu dan bwysau'r dŵr. Gollyngwyd miliynau o alwyni o ddŵr a miloedd o dunelli o gerrig a phridd dros y pentref mewn cwta ugain munud. Fe fyddai llawer iawn mwy o bobl wedi'u lladd oni bai fod cynifer o'r trigolion yn gwylio sioe ffilmiau yn y neuadd a oedd yn sefyll ar dir uwch. Yn sgil y ddamwain, yn 1930 fe basiwyd deddfwriaeth oedd yn gosod safonau diogelwch ar gyfer cronfeydd dŵr.

Glaw oedd un o achosion y drychineb waethaf a welodd Cymru, sef tirlithriad Aber-fan, a ddigwyddodd fore 21 Hydref 1966. Lladdwyd 116 o blant bach a 28 o oedolion pan lithrodd tomen wastraff glo o lofa'r Merthyr Vale i lawr i'r pentref, gan chwalu a boddi tai ac ysgol dan slyri du. Adeiladwyd y domen ar ben nentydd bychain tanddaearol, ac yn dilyn cyfnod o law trwm, roedd y domen a'i seiliau yn gwegian. Yn arswydus o sydyn, mewn hyrddiadau cyflym, gwahanodd 2.4 miliwn troedfedd ciwbig o wastraff, a sgubodd 1,400,000 troedfedd ciwbig, megis mur 39 troedfedd, i mewn i'r pentref.

Roedd y Bwrdd Glo ar fai yn llwyr, a bu ei ymddygiad, ac ymddygiad y system wleidyddol a geisiodd ei warchod, yn destun gwarth am ddegawdau. Dyma'r esiampl waethaf erioed yng Nghymru o ffolineb, haerllugrwydd a methiant dynion a'u cyfundrefnau i fesur, rheoli a rhag-weld effaith rhywbeth mor gyffredin â dŵr glaw a nentydd bychain.

Nid peth newydd felly yw llifogydd a'u canlyniadau torcalonnus, ac mae pob rhan o'r wlad yn gyfarwydd â hwy – gogledd, canolbarth a de. Weithiau daw'r llifogydd o gyfeiriad y môr, weithiau o gyfeiriad yr afonydd, ac weithiau o'r ddau gyfeiriad yr un pryd. Roedd yr 'hen bobl' yn gyfarwydd iawn â llifogydd, ac mae enw ambell fan yn adlewyrchu ei amgylchedd, ac yn ein rhybuddio am natur y ddaearyddiaeth – Morfa Harlech, Morfa Rhuddlan, y Morfa Mawr, Cors Caron, Cors Fochno ac yn y blaen. Gyda thwf yn y boblogaeth a phrinder tir datblygu, bu tuedd anffodus dros ben i adeiladu ar dir y byddai ar natur ei angen iddi ei hun o dro i dro, sef gorlifdiroedd afonydd a thir isel o gwmpas y traethau.

Cyn i'r morglawdd gael ei godi ym Mae Caerdydd, roedd llifogydd yn ddigwyddiadau lled reolaidd yn y ddinas. Er eu bod yn aml yn ddigwyddiadau trychinebus, mae helynt o'r fath yn gallu creu ysbryd cymunedol a chadarnhaol iawn ymysg pobl, wrth iddynt wynebu a gorchfygu anawsterau gyda'i gilydd. Mae rhyw hiwmor a thynnu coes 'yn erbyn yr elfennau' yn sicr yn rhan o herio amgylchiadau anodd, ac mae hiwmor sych pobl Caerdydd yn adnabyddus i bawb. Dyna lifogydd Tachwedd 1927, pan orlifodd afon Elái. Yn gaeth mewn llyn bach ym Mharc Fictoria roedd Billy'r Morlo. Roedd yntau wedi ei achub o rwydi llong bysgota yn 1912; rhoddodd y ddinas lety a bwyd am ddim iddo yn y parc, ac roedd yn ffefryn mawr gan bawb. Ond yn 1927 fe'i golchwyd i ffwrdd gan y llif, a nofiodd o'r parc, i lawr Heol Ddwyreiniol y Bont-faen. Roedd hyd yn oed chwedl ei fod wedi dringo ar gefn bws ac wedi cael taith o gwmpas canol y ddinas! Fe'i cludwyd yn ôl i'w bwll yn y parc, lle bu farw yn 1939. Wrth ei baratoi i'w arddangos yn yr Amgueddfa Genedlaethol, lle gellir gweld ei esgyrn hyd heddiw, deallwyd mai benyw ydoedd mewn gwirionedd. Ceir cofeb i 'Billy' yn y parc.

Mae'r rhestr o lifogydd yng Nghymru bron yn ddi-ben-draw –
a chyfeirio at lond dwrn o rai eraill adnabyddus: Llanwddyn (1953);
llifogydd difrifol 2007 ar draws Prydain – gyda'r glaw trymaf yn y
gwanwyn a'r haf er 1776; rhannau helaeth o dde Cymru yn Ionawr
1980; Tywyn a Bae Cinmel (1990); Dyffryn Conwy a Llanelwy (2010);
Rhuthun (un enwog yn 2012); y Rhyl (2013); Tal-y-bont, Ceredigion
(haf 2012); Gwent (2014); darnau helaeth o dde Cymru – Ewenni,
Tredegar, Llanelli ac Abertawe (2016). Fe ymddengys y bydd llifogydd
yn ddigwyddiadau mwyfwy aml yn y dyfodol wrth i'n defnydd o'r tir
newid, ac i'r hinsawdd droi'n wlypach yn ein cilcyn ni o'r blaned.

1 6 0 7

Lamentable newes out of Monmouth-
shire in Wales.

CONTAYNING,

The wonderfull and most fearefull accidents of
the great ouerflowing of waters in the saide Countye,
drowning infinite numbers of Cattell of all kinds, as Sheepe,
Oxen, Kine and horses, with others: together
with the losse of many men, women and
Children, and the subuersion of xxvi
Parishes in Ianuary last
1 6 0 7.

LONDON
Printed for W.W. and are to be solde in Paules Church
yarde at the signe of the Grey hound.

Eglwys y Forwyn Fair, Nash, ger Casnewydd, neu Eglwys Fair, Caerdydd, fe dybir, o'r pamffled *Lamentable Newes*, 1607. Cafwyd llifogydd difrifol iawn yn ne Cymru a glannau Hafren yn Ionawr 1607. Achoswyd difrod helaeth iawn yng Nghymru, o Dalacharn i Gas-gwent a thu draw i afon Hafren, yng Ngwlad yr Haf a Dyfnaint. Amcangyfrifir i 2,000 o bobl foddi, a difethwyd economi ardal afon Hafren am flynyddoedd maith.

Thought to be St Mary the Virgin Church, Nash, near Newport, or St Mary's, Cardiff, from the pamphlet Lamentable Newes, *1607. South Wales and the Severn and Bristol Channel area suffered devastating flooding due to an extreme event in January 1607. In Wales, an area from Laugharne to Chepstow was affected, and beyond as far as Somerset and Devon. It is estimated that 2,000 people were drowned, and the economy of the Severn and Bristol Channel area took many years to recover.*

© Llyfrgell Genedlaethol Cymru

Llifogydd Dyffryn Hafren, 1947.

Severn Valley floods, 1947.

© Llyfrgell Genedlaethol Cymru, Casgliad Geoff Charles

Difrod yn dilyn llifogydd Llanwddyn, 1953.

Damage following Llanwddyn floods, 1953.

© Llyfrgell Genedlaethol Cymru, Casgliad Geoff Charles

Dynion tân yn paratoi i achub pobl o'u cartrefi yn dilyn llifogydd yn Nôl-y-bont, Ceredigion, Mehefin 2012.

Firemen prepare to rescue people from their flooded homes at Dôl-y-bont, Ceredigion, June 2012.

Trwy garedigrwydd Heath Raggett a Rhiain Gwynne

@dafyddelfryn

Map gan Dafydd Elfryn, 2016, sy'n
defnyddio technegau mapio digidol i
greu darlun unigryw o nentydd ac
afonydd Cymru. Mae'r gwaith celfydd
hwn yn dangos dylanwad yr afonydd ar
y tirlun.

A digital map of Wales's river systems,
by Dafydd Elfryn, 2016. It shows clearly
how the Welsh landscape is dominated
by water courses.

Cafwyd rhai o lifogydd gwaethaf y cyfnod diweddar yng Nghymru ar 26 Chwefror 1990 yn ardal Tywyn a Bae Cinmel, gogledd Cymru.

Some of the worst floods of modern times in Wales occurred on 26 February 1990, in Towyn and Kinmel Bay in north Wales.

© Mirrorpix

Olion peth o'r dinistr a achoswyd pan dorrodd muriau cronfa ddŵr Llyn Eigiau, uwchlaw Dolgarrog, Dyffryn Conwy ar 2 Tachwedd 1925.
Roedd rhai o'r cerrig mawr a sgubwyd i lawr gan y llif yn pwyso 200 tunnell.
Destruction caused at Dolgarrog in the Conwy Valley, when the Eigiau Dam broke, flooding the valley on 2 November 1925. Some of the boulders washed down weighed about 200 tons.

© Mirrorpix

Ddegawdau wedi trychineb Dolgarrog, mae olion y dinistr a achoswyd yn dal i'w gweld yno (llun c. 1970).

Decades after the Dolgarrog disaster, huge boulders, which were swept down, still remain where they stopped (photograph c. 1970).

© Llyfrgell Genedlaethol Cymru, Casgliad Geoff Charles

Esiampl arall o wrthdaro rhwng anghenion y boblogaeth a natur, sef llifogydd y Glasdir yn Rhuthun, Tachwedd 2012.

Another example of man-made structures competing with nature, as the river Clwyd floods the newly built Glasdir housing development in Ruthin, November 2012.

© Mirrorpix

Adeiladwyd nifer helaeth o dai ar stad newydd y Glasdir, Rhuthun, ond llifodd metr o ddŵr i mewn i ryw gant ohonynt. Mae'r stad dai ar orlifdir afon Clwyd.

A large number of houses were built at Glasdir, Ruthin, but around a metre of water flooded some one hundred properties. The estate is built on an old floodplain of the river Clwyd.

© Mirrorpix

Torf yn dioddef glaw trwm yng Nghaerdydd er mwyn gwrando ar araith Neville Chamberlain. Ymddangosodd y llun yn y wasg Almaenig yn 1939.

An umbrella'd crowd of Cardiffians stand in the rain to greet Neville Chamberlain. The photograph appeared in the German press in 1939.

© Ullstein Bild/Topfoto

Ffotograff o'r awyr o Aber-fan, yn fuan wedi i'r domen lo lithro dros y pentref.

Aerial view of Aber-fan after the coal slag avalanche swept through the village.

© Terence Spencer/The LIFE Picture Collection/Getty Images

Trychineb Aber-fan, 21 Hydref 1966. Tirlithriad ar domen wastraff glo. Codwyd y domen ar ben nant, a chydag effaith y glaw fe danseiliwyd y domen, a llithrodd y slyri dros ran o'r pentref, gan ladd 116 o ddisgyblion ifanc Ysgol Pantglas a 28 o oedolion.

The Aber-fan disaster, 21 October 1966. Part of a coal tip, built above a stream, gave way following a period of rain, sending millions of tons of debris down onto the village below. A total of 116 pupils from Pantglas Junior School and 28 adults were killed.

© Topham Picturepoint (Topfoto)

Yr RNLI yn achub rhai o drigolion y Rhyl o'u tai, Rhagfyr 2013.

The RNLI rescue occupants from their Rhyl homes, December 2013.

© PA/Topfoto

Swyddogion yr RSPCA yn achub ceffylau o lifogydd ger Llanrwst, 4 Chwefror 2004.

RSPCA officers save a group of horses during flooding at Llanrwst, 4 February 2004.

© PA/Topfoto

Caffi Tu Hwnt i'r Bont dan ddŵr, yn ystod llifogydd yn Nyffryn Conwy, Chwefror 2004.

The Tu Hwnt i'r Bont tearooms at Llanrwst during the Conwy Valley floods of February 2004.

Defaid yn Llangorwen, 2012.

Sheep in Llangorwen, 2012.

Llifogydd yn cau'r A487 yng nghanol pentref Tal-y-bont, Ceredigion, Mehefin 2012.

Floods close the A487 in the middle of Tal-y-bont, Ceredigion, June 2012.

Y gymuned yn clirio'r llanast yn dilyn llifogydd 2012 yn Nhal-y-bont, Ceredigion.

Community spirit on display at Tal-y-bont, Ceredigion, as villagers pull together to clean up following flooding in 2012.

Adeiladwyd nifer helaeth o dai ac agorwyd parc manwerthu yn ardal Parc y Llyn, sef hen orlifdir afon Rheidol yn Aberystwyth. Er bod lefel y tir wedi'i godi'n sylweddol, effeithiwyd ar yr ardal gan lifogydd 2012.

Large numbers of dwellings and a retail park were built upon the Rheidol floodplain at Aberystwyth. Despite the fact that the area had been raised substantially, it was still affected by the 2012 flash floods.

9 Mehefin 2012, parc gwyliau Glanyrafon, ger Llandre, Ceredigion. Achubwyd nifer o bobl o'u carafannau yn oriau mân y bore gan y gwasanaethau argyfwng, gan gynnwys hofrenydd y llu awyr.

The Riverside holiday park, Llandre, Ceredigion. A number of people were rescued by helicopter during the early hours of 9 June 2012, as flash floods ripped through the valley.

Llyn Tegid, 15 Chwefror 2014. Cafwyd dros ddwywaith y glaw arferol yn ardal y Bala rhwng 11 Rhagfyr 2013 a 15 Chwefror 2014. Yn ogystal â'r glaw, cafwyd gwyntoedd cryf iawn ar brydiau.

Bala Lake, 15 February 2014. The area suffered over twice the normal rainfall between 11 December 2013 and 15 February 2014. In addition to the copious amount of rain, there were also very high winds.

Cerflun dur gan David Petersen o Billy'r Morlo ym Mharc Fictoria, Caerdydd. Cafodd Billy, a oedd wedi ymgartrefu yn y parc, ei sgubo i lawr yr hyn sydd heddiw'n Heol Ddwyreiniol y Bont-faen yn ystod llifogydd afon Elái yn 1927. Recordiodd yr Hennessys gân am Billy, a chodwyd cofeb iddo yn 1997. Pan fu farw Billy yn 1939, rhoddwyd y corff i Amgueddfa Genedlaethol Cymru, a darganfuwyd yno mai benyw oedd Billy wedi'r cyfan.

David Petersen's steel statue of 'Billy the Seal' in Victoria Park, Cardiff. Billy, who had been given a home in the park after being rescued from the nets of a fishing trawler, was swept away when the Ely flooded in 1927, and was found swimming down what is today Cowbridge Road East. The Hennessys composed a popular song about his exploits. When Billy died in 1939, his remains were taken by the National Museum of Wales, where it was discovered that Billy was in fact a female.

Golygfa ryfeddol o'r glaw yn ysgubo ar draws Dyffryn Tywi, a'r afon yn llifo i'w gorlifdir naturiol, Tachwedd 2012.

The amazing sight of a rainstorm approaching the Towy Valley, with the river already swollen and spilling onto its natural floodplain, November 2012.

© Hawlfraint y Goron: CBHC

EIRA A RHEW

Doeddwn i ddim yn gyfarwydd iawn ag eira trwm wrth dyfu i fyny yn yr addfwyn Fôn. Roeddem yn gallu gweld mynyddoedd sir Gaernarfon â'u pennau'n wyn draw yn y pellter, ond dim ond pan oedd y gwynder hwnnw'n ymledu i gyfeiriad Llanfairfechan a Phenmaen-mawr yr oedd fy rhieni yn dechrau poeni y byddem yn deffro dan flanced wen y diwrnod canlynol.

Ar yr adegau hynny pan oedd y tywydd yn troi ar rew ac eira, cofio am 'Eira '47' y byddai'r to hŷn. Hwnnw oedd y meincnod a osodwyd o ran y gaeaf 'gwaethaf erioed'. Roedd eu hanesion yn wirioneddol erchyll, ac roedd rhywun yn arswydo y byddai'r fath dywydd yn dod ar ein gwarthaf eto, gan hau dinistr a dioddefaint dros y wlad gyfan.

Dechreuodd fwrw eira ar 22 Ionawr 1947, a pharhaodd y tywydd rhynllyd tan ganol mis Mawrth. Roedd perthynas oedd yn amaethu yn Llanarmon-yn-Iâl (sir Ddinbych) yn cofio nad oedden nhw wedi gallu gadael y fferm am chwech wythnos. Roedd yr eira yn cyrraedd hyd at bum troedfedd o uchder ar y gwastad, a lluwchfeydd o ugain troedfedd mewn mannau. Yr un oedd y stori ar draws Cymru gyfan. Mewn rhai mannau roedd hi'n amhosib teithio a chyrraedd gwaith, am bron i dri mis, a gwnaed miloedd yn ddi-waith. Ar ben y caledi corfforol, roedd y wlad yn dal yn dlawd iawn ar ôl y rhyfel, a thanwydd a bwyd yn brin. Defnyddiwyd awyrennau'r Llu Awyr i ollwng bwyd i bobl oedd yn byw mewn mannau anghysbell, a llongau chwalu iâ i geisio cadw'r mynediad at borthladdoedd yn agored.

Collodd ffermwyr stoc ar raddfa na welwyd cynt nac wedyn, gydag anifeiliaid yn rhewi'n gorn yn y caeau.

I wneud pethau'n waeth, pan gynhesodd y tywydd, fe ddaeth hi'n law mawr, a rhwng y glaw a'r eira yn dadmer, cafwyd llifogydd mewn sawl man. Mewn rhai ardaloedd, megis ar ucheldir anghysbell y canolbarth, difethwyd rhai tai yn ddirfawr, ac mewn digalondid dwys o golli eu bywoliaeth a gweld yr anifeiliaid yn marw, symudodd teuluoedd i ffwrdd, gyda nifer yn gwerthu eu tir i'r Comisiwn Coedwigaeth.

Y gaeaf gwaethaf i mi ei brofi oedd gaeaf 1962/63. Yn ôl yr hen do, doedd y gaeaf hwnnw yn ddim byd o'i gymharu ag 1947, nid bod hynny'n gwneud i rywun deimlo'n gynhesach nac yn fwy diogel ar y pryd. Ond mae'r ystadegau yn gwrth-ddweud hynny, ac yn dangos mai gaeaf 62/63 oedd yr oeraf a'r hiraf a gafwyd ers canol y 18fed ganrif. Hyd yn oed yn ein rhan ni o Fôn, oedd i bob pwrpas wedi'i hamgylchynu o fewn ychydig filltiroedd gan fôr, roedd yr eira wedi lluwchio dros ben y cloddiau. Fel un o gorff ysgafn, fe gefais y gwaith o gerdded dros dopiau'r lluwchfeydd i chwilio am dyllau anadlu'r defaid a oedd wedi'u carcharu dan y trwch eira. Yna, fe fyddai oedolyn yn tyrchio i mewn i'r eira i achub y ddafad.

Ymhen dyddiau, fe ddeuai dynion y pentref cyfagos heibio gyda'u rhawiau, gan agor llwybr cerdded y tair milltir i lawr i dref Biwmares, er mwyn medru prynu pethau angenrheidiol megis llefrith, bara a chig. Dyma'r tro cyntaf i mi ddod wyneb yn wyneb â dynion meddw.

A hithau'n ganol nos, fe ddaeth sŵn curo ar ddrws y tŷ, ac o'i agor, dyna lle roedd dau ddyn ifanc, wedi bod yn y Sailors Return yn y dre tan ar ôl stop tap, ac yn llawn o wres meddwol y wisgi, wedi mentro cerdded adref yn igam-ogam drwy'r eira mawr. Roedd golwg ofnadwy arnyn nhw, yn llythrennol bron wedi rhynnu i farwolaeth, eu hwynebau yn las, a hwythau prin yn gallu siarad. Wedi iddynt ddadmer o flaen y tân, fe aethon nhw yn eu blaen, a sawr chwerw'r ddiod gref yn eu dilyn! Ymhen hir a hwyr, fe ddaeth tractor a bwced-codi ar y blaen i symud yr eira o'r ffordd fawr, ond dim ond wedi iddi ddadmer y gwelwyd bod milltiroedd o ffensys wedi'u malu wrth i'r tractor godi'r eira dros ben y cloddiau i'r caeau!

Fe fydd rhai yn cofio 18 Chwefror 1978 am byth. Roedd hi'n ddiwrnod gêm rygbi ryngwladol, ac fe gurodd Cymru'r Alban o 22 i 14 yng Nghaerdydd. Roedd miloedd o bobl angen cyrraedd adref, ond fe ddaeth storm enbyd o eira ar draws de'r wlad – y waethaf ers blynyddoedd, gan achosi lluwchfeydd tua 25 troedfedd. Fe gafodd cannoedd o bobl eu caethiwo gan y storm, a gorfod aros mewn gwestai neu neuaddau pentref am ddyddiau. Llwyddodd y *Western Mail* i gael lluniau o sawl man ar draws de Cymru, a chyhoeddwyd 'Blizzard Special' ganddynt. Does gen i ddim cof o'r storm, ond mae fy ngwraig yn cofio siwrne hunllefus o anodd yn ôl i Aberystwyth, yn cael ei gyrru am filltiroedd ar hyd yr M4 a ffyrdd y gorllewin heb allu gweld unrhyw linellau gwynion na llygaid cath i ddangos ble roedd y ffordd. Ar ben y ffaith mai dyma'r gaeaf hiraf ac oeraf ers blynyddoedd, hwn hefyd oedd 'Gaeaf Anniddigrwydd' yn wleidyddol, gyda llywodraeth wan Lafur dan arweiniad James Callaghan mewn gwrthdaro â'r undebau llafur. Doedd dim diwedd ar helyntion y gaeaf hwnnw a'r gwanwyn chwerw a ddaeth yn ei sgil: ar ddydd Gŵyl Dewi 1979 collwyd y refferendwm ar ddatganoli i Gymru, ac ar 3 Mai fe gerddodd Margaret Thatcher i mewn i wanwyn newydd Torïaidd yn rhif 10 Stryd Downing.

Gaeaf arall y bydd llawer yn cofio amdano yw 'eira mawr 1982', neu 'eira Sulwyn'! Effeithiwyd yn wael iawn ar Gymru gan yr eira a'r gwynt hwn, ac yna gan rew caled, ac fe ddechreuodd Sulwyn Thomas ddarlledu *Stondin Sulwyn* estynedig am yr 'argyfwng', gyda phobl o bob rhan o Gymru yn cysylltu â'r rhaglen ar Radio Cymru i rybuddio ac i gwyno am drafferthion yn eu hardaloedd hwy. Fe drowyd y gwasanaeth radio yn un gwirioneddol ryngweithiol a thynnwyd y Gymru Gymraeg at ei gilydd yn un gymuned dan ddylanwad gorthrymus yr eira mawr.

Mae'r cof plentyn hwnnw o aeaf 62/63 wedi aros gyda mi, a phan ddaw hi'n eira a rhew, hwnnw a ddaw i gof. I'r genhedlaeth iau, efallai mai eira 2010 – y Rhagfyr oeraf ers pedair blynedd ar ddeg, gyda gwynt milain o oer o Siberia yn chwipio'r wlad, fydd yn aros yn y cof. Neu efallai mai eira hwyr gwanwyn 2013 yn y gogledd ac i lawr i'r canolbarth fydd yn cael ei gofio. Hwn oedd yr eira a effeithiodd yn wael iawn ar ardal y Carneddau, sef y mynyddoedd hynny, os oeddynt yn troi'n wyn, oedd yn rhybudd fod eira ar y ffordd i ni yn sir Fôn ers talwm. Oherwydd bod y tywydd gwael wedi dod ar adeg anarferol o hwyr, yn ystod y tymor wyna, fe gafwyd colledion enbyd. Lladdwyd nid yn unig ddefaid ac ŵyn, ond hefyd lawer o ferlod mynydd gwyllt y Carneddau.

Ond gaeafau o fewn cof dwy neu dair cenhedlaeth yw'r rhain. Meddyliwch sut effaith y byddai gaeafau caled wedi ei chael yn yr oes o'r blaen, pan gafwyd yr hyn a elwir yn 'Oes Iâ Fach'. Rhennir yr Oes Iâ Fach yn ddau gyfnod: y cyntaf o tua 1300 tan y 1400au, a'r ail o tua 1600 tan tua 1850, nid ei bod hi'n haf hirfelyn rhyngddyn nhw chwaith! Cyfnodau 'anarferol' o oer yn hemisffer y gogledd oedd y rhain, yn hytrach nag Oes Iâ go iawn, fel a gafwyd yn y cyfnod cyn hanes, pan oedd talpiau mawr o'r byd dan haen o rew. Serch hynny, roedd hi'n ddigon oer i rewlifoedd ymledu, i rew gynyddu ar y môr, ac i gnydau fethu. Y nodwedd amlycaf oedd nad oedd yr hafau bellach yn ddibynadwy, gan achosi caledi enbyd. Rhwng y Pla Du (1338–75) a'r 'Newyn Mawr' (tua 1315–17) a achoswyd gan y tywydd gwael, amcangyfrifir bod hyd at chwarter poblogaeth Ewrop wedi marw. Does neb yn sicr beth ddechreuodd y patrwm o aeafau caled a hafau oer, gwlyb, ond mae echdoriad hirhoedlog llosgfynydd Tarawera yn Seland Newydd yn cael y bai gan rai.

Ym mis Awst 1402 anfonodd y Brenin Harri IV dair byddin, o Gaer, Amwythig a Henffordd, i ymosod ar Gymru er mwyn atal gwrthryfel Owain Glyndŵr unwaith ac am byth. Fe fethodd yr ymgyrch anferth hon oherwydd fe aeth hi'n dywydd garw iawn – glaw, cenllysg a hyd yn oed eira trwm. Bu bron i'r brenin ei hun farw oherwydd i'w babell ddymchwel ar ei ben mewn gwynt mawr. Daeth rhai i gredu bod gan Owain allu arallfydol, ei fod yn ddewin ac yn gallu dylanwadu ar y tywydd.

Yn ystod yr ail Oes Iâ Fach cafwyd llawer o sbri pan oedd afon Tafwys yn rhewi'n galed am wythnosau, a phobl Llundain yn cynnal ffeiriau a phob math o rialtwch ar yr iâ. Bu hyd yn oed y Frenhines Fictoria ar ymweliad ag un o'r ffeiriau, yn ôl yr hanes. Roedd sbri hefyd yng Nghymru, gyda phobl yn sglefrio ar afonydd rhewedig. Ond gwneud y gorau o'r gwaethaf oedd yr ymdrechion hyn, gan fod bywyd yn y cyfnod yn ddigon caled heb yr oerfel a'r anawsterau dyddiol a oedd yn codi yn ei sgil. Meddai John Roberts o Lanycil yn ei gywydd i ansawdd y flwyddyn 1783:

> Y gwanwyn anfwyn a fu,
> Oer ei fodd i ryfeddu
> Ar uwch fan yn gyfannedd;
> Eira ac iâ, oer eu gwedd...

Darlun eiconig yr 'Helwyr yn yr Eira (Gaeaf)', gan Pieter Breugel yr Hynaf. Mae'r llun, a beintiwyd yn 1565, yn adlewyrchu'r hinsawdd oedd yn bodoli ar draws Ewrop yn ystod Oes yr Iâ Fach.

The iconic 'Hunters in the Snow (Winter)', 1565, by Pieter Breugel the Elder is often used to illustrate life in the Little Ice Age.

Teyrnged yr arlunydd Aneurin Jones i waith Breugel.

Yn y darlun fe geir argraff o dirwedd bro mebyd yr arlunydd, Cwm Wysg, yng nghanol oerfel y gaeaf. Yn ei hunangofiant, mae'n cyfeirio at frwydr pobl cefn gwlad yn erbyn yr elfennau, ac mae gaeaf eithriadol 1947 wedi gadael ei ôl ar gof a dychymyg yr artist. Soniodd wrthyf am ddelweddau oedd wedi aros yn y cof, megis croesi afon Wysg a'r dŵr wedi rhewi, cyrff defaid wedi fferru dan yr wyneb, a'r merlod yn rhyfedd o lonydd ar y bryniau, yn methu symud gan eu bod wedi'u rhewi yn sownd yn y ddaear. Mae'n anodd gen i gredu nad oes atgof o'r gaeaf hwnnw yn y llun hwn.

Homage to Breugel by the artist Aneurin Jones.

The picture evokes the landscape of the artist's formative years in the Usk Valley during the winter months. In his autobiography, Aneurin Jones recalls the exceptional winter of 1947, which left its mark on his memory and his art. He recalled to me many harrowing images of hardship, of animals dying in the freezing temperatures, and ponies standing strangely still on the hills, unable to move as they were frozen to the ground.

Trwy garedigrwydd Aneurin Jones

Sglefrio ar afon Teifi ger Cilgerran, 1891, gan T. T. Mathias.

Skating on the river Teifi near Cilgerran, by T. T. Mathias, 1891.

© Llyfrgell Genedlaethol Cymru

Dynion yng nghanol eira 1947 yn gosod peiriannau jet ar gefn wagen reilffordd er mwyn ceisio clirio trwch o rew ac eira oddi ar y rheilffordd ger Aberhonddu. Arbrawf oedd hwn i glirio'r lein o eira a rhew er mwyn gallu cludo glo o dde Cymru. Awyr-lefftenant Walton, DFC, oedd yng ngofal y peiriannau, ac wrth symud ymlaen ar hyd y cledrau, roedd darnau anferth o eira a rhew yn tasgu'n uchel i'r awyr.

Jets to clear snowdrifts in Wales in 1947. Men engaged in fitting jet units to the rear of a waggon on a snow-encrusted stretch of line near Brecon, an ingenious way of clearing the disabling snowdrifts. This seems a rather desperate experiment to enable coal to be moved from the south Wales valleys. Flight Lieutenant Walton, DFC, was in charge of the engines, and as the machinery moved forward, huge pieces of ice and snow rained high into the sky.

© Illustrated London News Ltd/Mary Evans

Trên ac injan ar y lein rhwng Merthyr a'r Fenni, yn sownd yn yr eira mawr ychwanegol a ddisgynnodd yn ystod mis Mawrth 1947. Achosodd yr eira drafferthion dybryd i ddiwydiant glo de Cymru. Doedd dim modd symud nifer fawr o wageni llawn glo o'r pyllau, ac roedd glowyr yn methu cyrraedd eu gwaith drwy luwchfeydd anferth o eira.

A train and locomotive brought to a standstill by snowdrifts on the line between Merthyr and Abergavenny following the renewed blizzards of early March. The snow caused huge problems for the coal industry. There was no means of moving coal-filled waggons away from the pitheads, and miners were unable to reach pits due to the snowdrifts blocking all routes of transport.

Eira trwm 1947 ger Llanwddyn.

The heavy snow of 1947, near Llanwddyn.

© Llyfrgell Genedlaethol Cymru, Casgliad Geoff Charles

Storm o eira yn tynnu polion teleffon i lawr, Cricieth, 1937. Llun gan William Harwood.

A storm brings down telephone lines, Cricieth, 1937. Photograph by William Harwood.

© Llyfrgell Genedlaethol Cymru

Cerbydau yn yr eira ar Allt Rhymni, Caerdydd, Mawrth 1947.

Vehicles in the snow on Rumney Hill, Cardiff, March 1947.

© Mirrorpix

Er ei fod yn uchel ym mynyddoedd Eryri, pur anaml y mae Llyn Padarn yn rhewi'n gorn. Ond yn ystod gaeaf caled 1962/63 roedd modd cerdded o un ochr i'r llyn i'r llall.

Padarn Lake in Llanberis is deep, and doesn't freeze over very easily, but such was the weather during the winter of 1962/63 that it was possible to walk right across over the ice.

© Llyfrgell Genedlaethol Cymru, Casgliad Geoff Charles

Darlun enwog Kyffin Williams, 'Yr Ymgasglu. Ffermwyr ar y Glyder Fach' o'r 1980au sy'n darlunio caledi, dycnwch a brawdgarwch ffermwyr mynydd yn nannedd tywydd garw.

Kyffin Williams's famous 1980s homage to the mountain farmers: 'The Gathering. Farmers on Glyder Fach'. You can almost feel the cold, the harshness of life and sense of community it portrays.

© Llyfrgell Genedlaethol Cymru, Casgliad Kyffin Williams

The Snow man. Nº 2.

Y ffotograff cynharaf y gwyddys amdano o ddyn eira. Fe'i tynnwyd yn 1853/54 gan Mary Dillwyn o Benlle'r-gaer, Abertawe. Roedd hi a'i brawd, John Dillwyn Llewelyn, yn arloeswyr cynnar ym maes ffotograffiaeth.

Probably the earliest photograph of a snowman. It was taken by Mary Dillwyn of Penlle'r-gaer in 1853/54. She and her brother, John Dillwyn Llewelyn, were pioneers of early photography.

© Llyfrgell Genedlaethol Cymru

Er mor oer a gwlyb a pheryglus y gall eira mawr fod, mae ychydig o eira yn dipyn o hwyl! Wele ddyn eira ar ben Moel Fama, wrth i gannoedd fentro i'r copa i ffarwelio â 2014.

Although heavy snow is cold, wet and dangerous, in moderation it's great fun! A snowman on the trig point, Moel Fama, the end of December 2014.

Peiriant clirio eira ar waith, Nant Ffrancon, Ionawr 1959.

A snow-clearing machine in operation, Nant Ffrancon Valley, January 1959.

© Llyfrgell Genedlaethol Cymru, Casgliad Geoff Charles

Ceffylau yn dangos eu cryfder wrth i eira orchuddio strydoedd y Trallwng, 1940.

Cart horses provide better traction as snow hits Welshpool, 1940.

© Llyfrgell Genedlaethol Cymru, Casgliad Geoff Charles

Cario byrnau gwair i'r anifeiliaid, Fron-goch,
1 Chwefror 1963.

Carrying straw bales to feed the stock, Fron-goch,
1 February 1963.

© Llyfrgell Genedlaethol Cymru, Casgliad Geoff Charles

3 Ionawr 1963, a ffermwyr o ardal Llanddeusant, sir Gaerfyrddin, yn ymgasglu i brynu bwyd o siop deithiol ac i ddod â'u caniau llaeth at y ffordd fawr.

3 January 1963, and farmers from Llanddeusant, Carmarthenshire, gather to purchase supplies from the mobile shop, and to bring their milk churns within reach of the main road.

© Mirrorpix

Dyn yn mentro cerdded ar ganol Rhodfa'r Gorllewin, Caerdydd, wedi eira mawr 1978.

A man walks alone along Western Avenue, Cardiff, in the wake of the blizzard of 1978.

© Mirrorpix

Chwefror 1978, John Flay a Devin Hudson o fferm Ton-pil, Llanbedr Gwynllŵg, ger Casnewydd, yn stryffaglu i fwydo'u gwartheg.

February 1978 blizzard. John Flay and Devin Hudson of Ton-pil farm, Peterstone Wentlooge, near Newport, struggle to feed the cattle.

© Mirrorpix

Chwefror 1978 a phentrefwyr Amroth, sir Benfro, yn cerdded adref drwy'r eira o'r Summerhill Stores gyda'u negesau.

February 1978 blizzard. Villagers at Amroth, Pembrokeshire, walk home through the snow with provisions from the Summerhill Stores.

© Mirrorpix

Chwefror 1978, a dim gobaith teithio mewn cerbyd ar hyd priffordd yr A4050 rhwng y Barri a Chaerdydd.

February blizzard, 1978, and there's little hope of getting from Barry to Cardiff on this day.

© Mirrorpix

Chwefror 1978. Stryd fawr y Bont-faen wedi'i chlirio o eira erbyn hyn, ond druan o unrhyw un sy'n chwilio am y palmentydd.

February blizzard, 1978, and the High Street in Cowbridge is cleared of snow, but hard cheese for pedestrians out shopping for provisions.

© Mirrorpix

Mawrth 2013: defaid ac ŵyn ger Cross Foxes, wrth i'r eira trwm achosi problemau mawr i ffermwyr ar draws gogledd Cymru.

The late snows which hit north Wales in March 2013: sheep with their lambs near Cross Foxes.

Mae Elvis yn cŵl, Eisteddfa Gurig, Ionawr 2015.

Cool Elvis, Eisteddfa Gurig, January 2015.

Defaid yn yr ucheldir ger Cerrigydrudion.

Sheep in the hills above Cerrigydrudion.

Cyfres o luniau trawiadol gan Gomisiwn Brenhinol Henebion Cymru sy'n dangos sut y mae eira ysgafn a thrwchus yn gallu amlygu nodweddion archeolegol yn y tirlun.

A series of striking photographs from the RCAHMW showing how snow, thick or thin, can sometimes reveal archaeological features in the landscape.

Mynydd Du, 2012.

Black Mountains, 2012.

© Hawlfraint y Goron: CBHC

Neuadd Middleton, sir Gaerfyrddin, 2010.

Middleton Hall, Carmarthenshire, 2010.

© Hawlfraint y Goron: CBHC

System gaeau Rufeinig-Frythonig ar Ros Ogwr, 2013.

Ogmore Down Romano-British field systems, 2013.

© Hawlfraint y Goron: CBHC

Crymych a'r Preselau, 2013.

Crymych and the Presely Hills, 2013.

© Hawlfraint y Goron: CBHC

Townhill, Abertawe, 2013.

Townhill, Swansea, 2013.

© Hawlfraint y Goron: CBHC

STORMYDD

Gyda tua 1,560 cilometr o arfordir yn ffinio â'r môr mawr, does dim rhyfedd bod Cymru wedi derbyn ei siâr o stormydd geirwon dros y canrifoedd. Mae tua hanner yr arfordir wedi'i lunio o greigiau a chlogwyni o garreg galed iawn – yn wir, mae rhai o greigiau hynaf a chaletaf y byd i'w canfod yn sir Benfro. Ond ceir hefyd ardaloedd eang iawn o draethau tywodlyd, aberoedd llydan, a thwyni tywod yma ac acw ar hyd y glannau, yn enwedig o Fae Ceredigion draw i Lŷn ac Eifionydd.

Yn y gogledd mae afon Dyfrdwy yn gwahanu Cymru a Lloegr, ac yn y de mae afon Hafren yn creu ffin naturiol, ill dwy ag aberoedd isel, llydan iawn. Rhyngddynt fe geir cannoedd o nentydd ac afonydd sy'n llifo i mewn i'r môr. Ar adegau o wynt a glaw mawr, mae'n naturiol fod yr arfordir cymhleth hwn yn troi'n ardal o wrthdaro rhwng grymoedd natur ac ymdrechion pobl i ddatblygu a byw ar hyd y glannau.

Mae tir wedi'i golli i'r môr yn gyson dros filoedd o flynyddoedd, oherwydd stormydd geirwon neu drwy erydiad araf. Un esiampl amlwg o hyn yw hen bentref Cynffig, ger Pen-y-bont. Yn ystod y 13eg ganrif, cafodd y trigolion eu trechu yn eu brwydr yn erbyn y twyni tywod oedd yn graddol gladdu'r ardal, a gadawyd y lle ganddynt i wynebu hynt yr elfennau. Symudwyd yr eglwys, garreg wrth garreg, i'r Pîl, ond safodd yr hen gastell i wynebu gorthrwm y tywod. Heddiw, y cyfan sydd i'w weld yno yw mymryn o dŵr y castell, hanner can troedfedd o uchder, yn ymwthio o un o'r twyni.

Safle sy'n dangos yn eglur effaith grym y môr gwyllt yw Cwmyreglwys yng ngogledd sir Benfro. Mae'r pentref ar ymyl bae bach prydferth, sy'n edrych fel man cysgodol. Ar ymyl y traeth saif gweddillion addoldy hynafol iawn, sef eglwys Sant Brynach. Ddechrau'r 1850au trawyd yr eglwys gan ddwy storm, a chollwyd rhan o'r fynwent (a rhai o'r cyrff oedd wedi'u claddu yno) i'r eigion. Yn ddiweddarach, yn ystod storm enfawr 25 a 26 Hydref 1859, fe ddifrodwyd to'r eglwys yn llwyr, a phenderfynwyd gadael y lle i wynebu ei ffawd. Yn y 1880au adeiladwyd amddiffynfa rhag i'r môr ddwyn rhagor o gyrff o'r fynwent, a thynnwyd sgerbwd yr eglwys i lawr, gan adael un talcen yn sefyll. Mae yno o hyd, yn ysbrydoli beirdd ac artistiaid, ac yn atyniad hanesyddol i'r miloedd sy'n ymweld yn flynyddol wrth oedi ar eu taith ar hyd Llwybr Arfordir Sir Benfro.

Er mor ddramatig yw hanes Cwmyreglwys, bu un digwyddiad arall a oedd â chanlyniadau mor drychinebus nes i'r storm honno yn 1859 gael ei henwi ar ei ôl. Hon oedd 'storm y *Royal Charter*', storm waethaf y ganrif ym Môr Iwerddon. Amcangyfrifir ei bod yn gyfrifol am ladd o leiaf 800 o bobl, suddo 133 o longau a difrodi dwsinau o rai eraill. Effeithiodd y tywydd garw ar ardal eang iawn o dde Lloegr i fyny i'r Alban, ond yng ngogledd Cymru ac ar Lannau Mersi y cyrhaeddodd ei anterth, gyda chorwynt yn hyrddio dros gan milltir yr awr. O'r 800 a gollodd eu bywydau, roedd o leiaf 450 ohonynt ar fwrdd y *Royal Charter*, *clipper* ager oedd ar ei ffordd o Melbourne yn Awstralia i Lerpwl. Roedd rhai o'r teithwyr arni yn dychwelyd i Brydain ar ôl casglu gwerth ffortiwn o aur yn y 'gold rush' yn Awstralia. Wrth i'r storm godi ac i gyfeiriad y gwynt newid, a'r capten yn gwrthod cyngor i gysgodi yng Nghaergybi, fe ddrylliwyd y llong ar y creigiau i'r gogledd o Foelfre, sir Fôn. Cael eu hyrddio yn erbyn y creigiau oedd achos marwolaeth y rhan fwyaf o'r teithwyr, wrth iddynt geisio cyrraedd y lan. Gwnaed ymdrechion glew gan rai o'r criw a'r bobl leol i achub y trueiniaid, ond ofer fu'r ymdrechion yn nannedd y fath storm. Roedd maint y colledion, ynghyd â'r syniad o drysor ar fwrdd y llong, yn ddigon i dynnu sylw'r wasg Brydeinig, sylw oedd yn aml yn llai na charedig tuag at y Cymry lleol, a hynny, mwy na thebyg, yn rhannol oherwydd nad oedd y Saeson a ddaeth draw ar ran y wasg yn gallu deall Cymraeg. Fe fu Charles Dickens yno, a chynhwysodd erthygl am ei brofiadau yn ei lyfryn *The Uncommercial Traveller*. Gyda gwerth ffortiwn o aur yng nghist y llong, does dim rhyfedd bod sôn am drysor y *Royal Charter* yn codi ei ben yn achlysurol, a'r hanes diweddaraf oedd i chwilotwr o Norfolk ddarganfod darn gwerth £50,000 o aur ger sgerbwd y llong yn 2012.

Bu ymchwiliad trwyadl, ac un canlyniad cadarnhaol a ddaeth yn ei sgil oedd cryfhau yn sylweddol rôl Swyddfa'r Tywydd, ac i Robert FitzRoy, a oedd yn gyfrifol amdani, ddatblygu system o rybuddion am dywydd garw a ddaeth yn gonglfaen i'r diwydiant morwrol am flynyddoedd maith. Yn dilyn marwolaeth FitzRoy yn 1865, ataliwyd y gwasanaeth am gyfnod rhwng 1866 ac 1887, nes i brotestiadau lu orfodi'r Llywodraeth i ailgydio ynddo. Yn dilyn hynny, fe ddatblygodd Swyddfa'r Tywydd ddulliau mwy trwyadl o fesur a darogan y tywydd, ac yn sgil llwyddiannau'r swyddfa, fe ddatblygodd y system fodern, a'r holl wasanaethau yr ydym heddiw yn eu cymryd yn ganiataol.

Fe ddaeth Sefydliad Cenedlaethol Brenhinol y Badau Achub (RNLI) i fodolaeth yn 1824, a bu badau achub ym Moelfre er 1848. Cychod rhwyfo, weithiau gyda hwyliau, oedd y badau cynnar, a does dim angen ystyried yn hir i sylweddoli pa mor anhygoel o ddewr a chryf oedd y dynion oedd yn gwirfoddoli ar y badau hynny, gan wynebu moroedd mawr er mwyn achub bywydau ac eiddo. Un yn

nhraddodiad 'hunanaberth' y dynion hynny oedd Dic Evans. Yn 1954 fe ddilynodd ei ewythr i swydd y llywiwr (*coxswain*) ar fad achub Moelfre. Gwta bum mlynedd yn ddiweddarach, ar 27 Hydref 1959, ganrif wedi trychineb y *Royal Charter*, galwyd arno i fentro'i fywyd i achub criw'r *Hindlea*, llong fasnach 500 tunnell. Doedd dim modd iddo gysylltu efo'i griw i gyd oherwydd bod y llinellau ffôn wedi'u dymchwel gan gorwynt can milltir yr awr. Felly, gyda dim ond dau aelod o'r criw, ac un cynorthwyydd nad oedd erioed wedi bod allan mewn bad achub o'r blaen, fe aeth allan i ganol y ddrycin. Roedd cadwyn angor mawr yr *Hindlea* yn chwipio allan o'r dŵr, ac weithiau roedd symudiad y llong yn codi'r propelor uwchben y bad achub. Ddeg gwaith fe lwyddodd Dic Evans i lywio'r bad at ymyl y llong, er mwyn i'r criw neidio i freichiau eu hachubwyr. Hanner awr wedi i'r dyn olaf neidio, fe falwyd yr *Hindlea* yn erbyn y creigiau.

Yna, ar 2 Rhagfyr 1966, ac yntau'n 61 oed, fe wynebodd Dic Evans a'i griw her enfawr arall, sef achub criw'r llong nwyddau 1,282 tunnell *Nafsiporos* oddi ar arfordir Môn. Achubodd bad achub Caergybi bum dyn cyn gorfod troi yn ôl. Fe fentrodd bad Moelfre i geisio achub gweddill y dynion, gan wynebu tonnau 35 troedfedd a gwynt oedd yn hyrddio gan milltir yr awr. Fe gymerodd yr ymladdfa hon yn wyneb yr elfennau bron i dair awr ar ddeg. Am ei waith ysbrydoledig a dewr ar yr achlysuron hyn, fe roddwyd dwy fedal aur Sefydliad Cenedlaethol Brenhinol y Badau Achub i Dic Evans. Yn ystod dros hanner canrif o wasanaethu, fe achubodd Dic Evans a'i griwiau 281 o fywydau a chawsant eu galw allan 179 o weithiau, ac fe'u gwobrwywyd â llu o anrhydeddau.

A minnau wedi fy magu mewn man oedd yn agored iawn i'r elfennau, o fewn golwg y môr, ac o fewn clyw i farŵns bad achub a rhuo'r tonnau mawrion ym Môn, does dim rhyfedd fy mod i wedi cael fy nhynnu at dywydd mawr. O symud i Aberystwyth, un o'r profiadau cyntaf yr wyf yn ei gofio oedd y sioc o weld y difrod ar y prom adeg Pasg 1974. Roeddwn wedi dychwelyd yn ôl i'r coleg yn gynnar, a'r peth cyntaf a welais oedd y ffordd o flaen yr hen Neuadd y

Brenin yn gerrig mân i gyd, a cherrig mawrion y wal amddiffynnol, y byddai'n cymryd sawl dyn cryf i'w codi, wedi'u lluchio yma ac acw hyd y lle gan y tonnau. Wrth gerdded ar hyd y prom, a draw wedyn at draeth Tan-y-bwlch, sydd i'r de o'r dref, roedd y cerrig mawr glan môr sy'n ffurfio'r cilgant hwn o draeth wedi'u hyrddio bron i afon Ystwyth, a'r ffordd oedd dan gysgod y traeth wedi diflannu dan filoedd o dunelli o gerrig. Sefais yno a cheisio dychmygu grym y llif oedd wedi achosi'r fath lanast. O hynny ymlaen, am flynyddoedd, fe fyddwn yn anelu am y traeth hwnnw i wylio'r tonnau'n torri yn erbyn y morglawdd ar adeg llanw uchel a storm. Tra oeddwn yn gweithio efo casgliad ffotograffau'r Llyfrgell Genedlaethol, fe ddeuthum ar draws cyfrolau o waith Arthur Lewis, ffotograffydd lleol, ac ymhlith ei luniau ef mae sawl esiampl o donnau'n torri ar hyd y prom, ond yn arbennig, o effaith stormydd 1937 ac 1938 ar y lle. Achoswyd difrod mawr iawn gan storm 1938. Collwyd pen pella'r pier, a rhwygwyd y prom i'r gogledd yn ddarnau, nes bod seiliau rhai o'r adeiladau mawr sy'n harddu cilgant Traeth y Gogledd yn y golwg. O ran difrod, storm 1938 oedd y waethaf erioed i felltithio Aberystwyth.

Rhwng Hydref 2013 a Chwefror 2014 fe drawyd yr arfordir cyfan gan gyfres o stormydd a oedd fel petaent yn cynyddu yn eu nerth o wythnos i wythnos. O fis Rhagfyr tan fis Chwefror cafwyd deuddeg storm fawr ym Mhrydain, y nifer mwyaf ers o leiaf ugain mlynedd. Achos hyn oedd llif 'jet' cryf yn gwthio pwysedd isel a'i stormydd ar draws Môr Iwerydd i gyfeiriad arfordir y gorllewin. De-orllewin Lloegr ac arfordir Cymru ddaliodd hi waethaf. Ar ben hynny, roedd lefel y môr ar ei uchaf hefyd, a chofnodwyd ymchwydd o dros 80 troedfedd allan ym Môr Iwerddon. Gyda gwyntoedd cryfion iawn, llanw uchel, ac ymchwydd anhygoel o uchel, roedd sawl lle ar hyd yr arfordir yn ymddangos yn fregus iawn.

Cafwyd ambell storm yn yr ardal wedi hynny, ond nid ar yr un raddfa, diolch i'r drefn. Ond mae'r hyn sy'n ymddangos yn gynnydd yn nifer yr achosion o dywydd garw ar y glannau yn siŵr o fod yn achosi pryder mawr i'r rhai sy'n byw o fewn cyrraedd y tonnau

mawrion, ac i'r rhai sy'n gyfrifol am ein hamddiffynfeydd morol.

Ymysg y lluniau yn y gyfrol hon, rwy'n cynnwys ychydig o 'gronoleg' y stormydd hynny, fel y'u profwyd gen i. Wrth dynnu'r lluniau cefais fy ngwlychu, fe'm trawyd gan donnau, fe niweidiwyd camera a lens, fe rewodd fy mysedd, ac fe gollais nosweithiau o gwsg, ond fe gewch chi rannu'r profiad o'ch cadair freichiau!

Nid ar ardaloedd arfordirol a mynyddig yn unig y clywir am effaith gwyntoedd garw. Yr hanesyn enwocaf y gwn i amdano am wynt dinistriol ymhell o'r môr yw 'corwynt 1913'. Ar 27 Hydref y flwyddyn honno, yn dilyn cyfnod o fellt a tharanau, fe drawyd rhannau o dde Cymru gan gorwynt (*tornado*). Achosodd gwrthdaro rhwng aer oer o'r gogledd ac aer cynnes o'r cyhydedd ychydig ddyddiau o dywydd ansefydlog iawn. Yn gyntaf fe gafwyd mellt a tharanau, yna fe grëwyd cyfres o gorwyntoedd ar draws de-orllewin Prydain. Fe deithiodd corwynt o'r cyfeiriad hwnnw i fyny am dde Cymru, gan gyffwrdd y ddaear gyntaf yn yr Efailisaf, ger Llantrisant, lle roedd tua 50 metr o led, a theithio, gan ymchwyddo a chryfhau, nes cyrraedd ei anterth yn Edwardsville. Yma roedd tua 300 metr o led. Ar ei waethaf roedd y gwynt yn troelli ar gyflymder o 160 milltir yr awr. Bu difrod mawr ar hyd ei lwybr: fe laddwyd tri o bobl, ac anafwyd llawer, ac achoswyd degau o filoedd o bunnoedd o ddifrod (sy'n cyfateb i gwpwl o filiynau yn ein dyddiau ni). Fel y dywedodd T. H. Parry-Williams:

> Mae'n rhaid cael gwynt. Nid yw amser yn bod
> Pan na bo gwyntoedd o rywle'n dod.

Difrod mawr ger rheilffordd drydan Llandudno i Fae Colwyn ym Mae Penrhyn, 1945.

Sea damage at Penrhyn Bay, along part of the Llandudno & Colwyn Bay Electric Railway, 1945.

© Illustrated London News Ltd/Mary Evans

6 Chwefror 1939, Amroth, sir Benfro. Achosodd tonnau anferth ddifrod difrifol i dai ar lan y môr. Difethwyd rhai adeiladau, a gweithiodd y pentrefwyr yn ddiflino â'u dwylo i geisio llenwi bylchau yn yr amddiffynfeydd. Cafwyd storm debyg ar 3 Ionawr 2014, a difrodwyd pedwar cartref, maes carafannau a safle busnes gan lifogydd o'r môr.

6 February 1939. Huge waves on a spring tide demolished homes on the edge of the sea at Amroth, Pembrokeshire. The villagers worked solidly with their bare hands to try to fill the gaps in the sea wall. 3 January 2014 saw another massive storm hit this stretch of coast, and four houses, caravans and a business were damaged by floods caused by the heavy sea.

Achub llongwyr o'r môr ger Cricieth, o lun gwreiddiol gan J. M. W. Turner. Roedd ysgythriadau printiedig o longddrylliadau yn boblogaidd iawn, a cheir sawl esiampl o olygfeydd dramatig o'r fath o lefydd ar hyd arfordir Cymru.

Saving seamen from a storm near Cricieth – 'Crickieth Castle' from a drawing by J. M. W. Turner. Engravings of shipwrecks were very popular, and they cover many such dramatic events along the Welsh coast.

© Llyfrgell Genedlaethol Cymru

Tonnau'n torri ar y prom yn Aberystwyth – testun poblogaidd ymhlith ffotograffwyr hyd yn oed yn ôl yn y 1930au.

Waves breaking on the promenade at Aberystwyth have always held a fascination for photographers, even back in the 1930s.

© Llyfrgell Genedlaethol Cymru, Casgliad Arthur Lewis

Yn ystod storm fawr 1938 cafodd mam a'i dwy ferch ddihangfa ryfeddol o'r bwthyn hwn, ar ymyl traeth Tan-y-bwlch, Aberystwyth. Pan ddechreuodd tonnau mawr dorri o amgylch y bwthyn, fe geisiodd y tair ddianc, ond tra oedden nhw'n gwisgo amdanynt, chwalwyd y drws a rhuthrodd y môr i mewn. Daeth ton arall, a syrthiodd y to am eu pennau. Trwy lwc, sylweddolodd gyrrwr trên (yn yr oes pan oedd trên yn mynd o Aberystwyth i Gaerfyrddin) eu bod mewn helynt, a hysbysu'r awdurdodau. Fe achubwyd y ddwy ferch a'u cath o weddillion y bwthyn, ond roedd eu mam, Mrs Linnett, wedi'i golchi i ffwrdd. Cafwyd hyd iddi ar drengi, yn gafael ym mwrdd y gegin, oedd wedi'i olchi bellter i ffwrdd, bron yn afon Ystwyth!

During the massive 1938 storm, a mother and her two daughters had a lucky and dramatic escape from this cottage, which stood on the edge of Aberystwyth's Tan-y-bwlch beach. When huge waves began to break around the cottage, the three decided to head for safer ground, but as they were getting changed, the front door was smashed down by a wave. There came another and the roof fell in on their heads, trapping the girls. A passing train driver (in the good old days when a line ran to Carmarthen) saw their predicament and stopped at the next station to call the authorities. The two girls and their cat were rescued, but their mother, Mrs Linnett, was not in the ruins. She was found clinging for dear life to the kitchen table, which had been washed away, and had almost reached the river Ystwyth!

Difrodwyd nid yn unig fwthyn Mrs Linnett yn storm fawr 1938 yn Aberystwyth, ond hefyd ben y pier, yn ogystal â phob adeilad ar y prom i'r gogledd o'r fan. Ailadeiladwyd y prom, a gosodwyd amddiffynfa o gerrig anferth yn rhimyn ar y traeth, gan feddwl y byddai hynny'n atal rhagor o ddifrod gan unrhyw storm yn y dyfodol.

It was not only Mrs Linnett's little cottage which was destroyed in that storm, but also part of the pier, and all the houses to the north of the promenade were damaged. The prom was rebuilt and huge boulders were placed along the beach to hopefully stop any future repeat of the devastation.

© Llyfrgell Genedlaethol Cymru, Casgliad Arthur Lewis

Lansio bad achub Aberystwyth o'r prom c. 1935. Sylwch pa mor eiddil a chyntefig oedd y bad, hyd yn oed yn y cyfnod lled ddiweddar hwn.

Launching the Aberystwyth lifeboat from the promenade, c. 1935. Note how frail and unsophisticated the lifeboat seems, even during this relatively modern time.

© Llyfrgell Genedlaethol Cymru, Casgliad Arthur Lewis

Darlun yn dangos llongddrylliad y *Royal Charter* gan J. J. Dodd. Gelwir storm fawr 1859 yn 'Storm y *Royal Charter*' ar ôl y llong a ddrylliwyd yn erbyn creigiau Môn, gyda tua 450 yn colli eu bywydau wrth geisio cyrraedd y lan.

'The wreck of the Royal Charter*', by J. J. Dodd. The great storm of October 1859 soon became known as the 'Royal Charter* Storm*' after the ship which broke up on the Anglesey coast, killing at least 450 passengers as they struggled to reach dry land.*

© Llyfrgell Genedlaethol Cymru

Llongddrylliad yr MV *Hindlea*, ger Moelfre, sir Fôn, 27 Hydref 1959.

The wreck of MV Hindlea *off the coast of Moelfre, Anglesey, 27 October 1959.*

© Llyfrgell Genedlaethol Cymru, Casgliad Geoff Charles

Dic Evans ac Evan Owen gyda bad achub Moelfre. Fe ddyfarnwyd dwy fedal aur i Mr Evans gan yr RNLI am ei ddewrder anhygoel yn achub llongwyr oddi ar yr *Hindlea* (1959) a'r *Nafsiporos* (1966). Fe gafodd ei griwiau hefyd eu hanrhydeddu, ac mae gwrhydri badau achub Moelfre yn destun balchder mawr ar Ynys Môn. Mae cofeb deilwng i Dic Evans gan y cerflunydd Sam Holland i'w gweld ger gorsaf y bad achub ym Moelfre.

Dic Evans and Evan Owen with the Moelfre lifeboat. Mr Evans won two RNLI gold medals for his bravery in saving the crew of the Hindlea (1959) *and the* Nafsiporos (1966). *His crews were also honoured, and the bravery and skill of the Moelfre lifeboats are still a subject of immense pride in Anglesey today. A dramatic memorial to Dic Evans by the sculptor Sam Holland now stands overlooking the sea and the lifeboat station.*

© Llyfrgell Genedlaethol Cymru, Casgliad Geoff Charles

'Chwalu Pont Trefechan' gan Jenny Thomas.

Ar 16 Hydref 1886 fe drawyd ardal Bae Ceredigion gan storm enbyd, a difrodwyd nifer o dai a phontydd ac fe foddwyd anifeiliaid fferm. Llifai'r afonydd yn chwyrn, a bu rhan o Aberystwyth dan chwe throedfedd o ddŵr. Y difrod mwyaf cofiadwy a chostus oedd chwalu Pont Trefechan. Bu raid adeiladu pont newydd yn yr un fan – y bont yr ydym yn gyfarwydd â hi heddiw lle cynhaliwyd protest gyntaf Cymdeithas yr Iaith Gymraeg yn Chwefror 1963, oedd hefyd yn gyfnod o dywydd i'w gofio oherwydd yr oerfel!

'The destruction of Trefechan Bridge' by Jenny Thomas.

On 16 October 1886 a massive storm struck Cardigan Bay, and many houses and bridges were damaged or destroyed and livestock drowned. Rivers overflowed, and part of Aberystwyth was under six feet of water. The most significant and costly loss was the destruction of Trefechan Bridge, which had to be totally rebuilt. The new bridge is the one associated with the first protest by the Welsh Language Society, in February 1963, which was also a period of notable weather – the extreme cold!

© Llyfrgell Genedlaethol Cymru

Cartref wedi'i ddifrodi gan storm, Cricieth 1930. Llun gan William Harwood.

A dwelling destroyed by a storm at Cricieth, 1930. Photograph by William Harwood.

© Llyfrgell Genedlaethol Cymru

Môr brochus ym Mhorthcawl, un o leoliadau mwyaf dramatig Prydain am donnau mawr.

A lively sea at Porthcawl, one of the most photographed locations for big waves in Britain.

© Topfoto

Mae nifer o longddrylliadau wedi bod ar hyd yr wyth milltir o draeth Cefn Sidan, Pen-bre. Amcangyfrifir bod 300 o longau wedi'u dryllio yno dros y canrifoedd. Mewn mannau mae lefel y tywod yn gallu codi neu ddisgyn hyd at chwe throedfedd oherwydd amgylchiadau'r tywydd a'r llanw, ac o'r herwydd mae olion newydd yn dod i'r wyneb o dro i dro. Dyma sgerbwd un o'r llongau hynny, ac mae ambell un yn galw'r traeth hir hwn yn 'arfordir y sgerbydau'.

There have been many shipwrecks along the eight miles of Cefn Sidan sands, Pembrey. It is estimated that some 300 ships have ended their journeys there over the centuries. In some places the height of the sand can rise or fall by six feet due to the effects of tide and weather. From time to time these shifting sands reveal new remains. This wreck and others besides lend this area an alternative name – Wales's 'skeleton coast'.

© Alistair Corbett

Doedd hi ddim yn stormus ar 15 Chwefror 1996 pan aeth y *Sea Empress*, tancer oedd yn cludo 130,000 tunnell fetrig o olew craidd i Aberdaugleddau, yn erbyn y creigiau. Camgymeriad gan y peilot achosodd y ddamwain, ac o fewn dim o dro roedd y gwasanaethau wedi dechrau ar y gwaith o achub y llong a'i chargo. Ond fe ddaeth yn storm, ac am chwe niwrnod bu'r elfennau yn drech nag ymdrechion y rhai oedd yn ceisio'i symud i harbwr diogel. Fe drawodd yn erbyn creigiau sawl gwaith yn ystod yr ymgais i'w hachub, gan orffen ei siwrnai yn sownd o dan Bentir St Ann – ger llwybr yr arfordir, ac o fewn golwg pawb, gan gynnwys cyfryngau'r byd. Collwyd bron i 72,000 tunnell fetrig o olew i'r môr, gan greu llanast ar hyd arfordir bregus sir Benfro. Drwy waith caled, a lwc, llwyddwyd i osgoi creu llanast llawer iawn mwy, ac yn y diwedd llwyddwyd i lusgo'r llong i'r porthladd.

It wasn't stormy on 15 February 1996, when the oil tanker Sea Empress, *carrying 130,000 metric tons of oil, ran aground on her way to Milford Haven. The pilot caused the error, but shortly after the operation began to refloat the vessel, the weather turned stormy. For six days all attempts to move the tanker failed, and she hit the rocks several times, eventually becoming stranded below St Ann's Head – right under the coastal path and with easy access for the world's media. Around 72,000 metric tons of oil spilled into the sea, causing havoc to the delicate environment around the Pembrokeshire coast. With hard work and a huge amount of luck, an environmental disaster of much greater scale and impact was averted. She was eventually towed into harbour.*

Y gwaith trwm o lanhau'r traethau.

The hard graft of cleaning the beaches.

© Mirrorpix

Glanhau'r olew o bob twll a chornel.

Cleaning the mess from every nook and cranny.

© Mirrorpix

Achub elyrch.

Saving oil-smeared swans.

© Mirrorpix

Llun 'Cwmyreglwys' gan Frederick Könekamp.

Effeithiodd storm fawr 1859 – 'Storm y *Royal Charter*' – yn ddirfawr ar arfordir Cymru a thu hwnt. Yng Nghwmyreglwys, Penrhyn Dinas, sir Benfro, dymchwelodd y tonnau mawrion ran helaeth o'r eglwys fechan hynafol oedd ar fin y traeth. Gadawyd yr eglwys i ddadfeilio, ac fe'i dymchwelwyd yn 1880, gan adael un talcen yn sefyll fel cofeb.

A depiction of the 1859 storm demolishing the church at Cwmyreglwys, Pembrokeshire, by Frederick Könekamp. The 'Royal Charter Storm' was the last straw for the little church, and it was abandoned, to be demolished in 1880, apart from a symbolic gable end, which still stands there today.

Trwy garedigrwydd Mair Gwenallt Powell a Gwasg Gomer

Cwmyreglwys heddiw.

Cwmyreglwys today.

Cerdyn post cynnar o griw bad achub yr RNLI, fwy na thebyg ym Miwmares, Môn. Enw gwreiddiol y mudiad, a sefydlwyd yn mis Mawrth 1824, oedd y National Institution for the Preservation of Life from Shipwreck; newidiwyd yr enw yn 1854 i'r Royal National Lifeboat Institution.

An old postcard depicting an RNLI crew, possibly from Beaumaris. The Royal National Lifeboat Institution was established in 1824 and was then called the National Institution for the Preservation of Life from Shipwreck. It changed its name in 1854.

Mae hen chwarel lechi ar fin y môr yn Abereiddi, sir Benfro. Caewyd y chwarel yn 1910, a chwythwyd y graig er mwyn agor sianel i'r môr, a boddi pwll y chwarel, sydd tua 25 metr o ddyfnder. Hwn yw'r 'Pwll Glas' enwog sy'n cael ei ddefnyddio ar gyfer cystadlaethau plymio. Nid nepell o'r Pwll ac ar fin y traeth y mae olion 'Y Stryd', sef pum bwthyn bach ar gyfer y chwarelwyr a'u teuluoedd. Hyd at y 1930au roedd tua hanner cant o bobl yn byw ynddynt, ond yn dilyn haint y tyffoid, a storm fawr a foddodd y stryd, bu raid iddynt ymadael. Yn ystod stormydd 2014, collwyd tua phum metr o dir i'r môr.

There's an old slate quarry on the water's edge at Abereiddy, Pembrokeshire. It was closed in 1910, and a gap was blown between it and the sea, creating a deep lagoon – well-known today, especially by thrill seekers, as the 'Blue Lagoon'. It has featured as a very dramatic venue and backdrop for diving championships. A stone's throw from the Blue Lagoon is 'Y Stryd' (The Street) – which used to comprise five little quarrymen's cottages. Up to the 1930s around fifty people lived in these little cramped and insanitary houses. However, after the street was hit by typhoid, and flooded and partly demolished by a storm, the place was abandoned, and only ruins now remain. During the 2014 storms, about five metres of land nearby was lost to the sea.

Pan fydd y tywydd yn arw, bydd tonnau'r môr yn torri mewn modd dramatig iawn mewn rhai mannau – er enghraifft ym Mhorthcawl yn y de, Aberystwyth yn y canolbarth, ac yn y gogledd, ym Mae Penrhyn. Ym Mae Penrhyn mae'r tonnau weithiau'n rasio ar hyd ymyl y promenâd, ac yn ffrwydro i uchder sylweddol ym mhen draw'r bae.

Many places around the Welsh coast provide excellent 'wave watching', where the manner in which waves hit various physical barriers looks very dramatic. In the south, the place to be is Porthcawl; in mid Wales, Aberystwyth causes a big splash; and in north Wales, Penrhyn Bay can be quite spectacular as the sea skirts the edge of the promenade, ending at the northern tip in spectacular foam pillars.

Mae'r ffotograffau ar y tudalennau nesaf yn olrhain ychydig o hanes stormydd yn Aberystwyth o fis Hydref 2013 hyd at Chwefror 2014.

Roedd stormydd mis Hydref 2013 yn dipyn o hwyl i rai! Ychydig wydden ni mai megis dechrau cyfres a fyddai'n gwaethygu'n raddol oedd y tymhestloedd hyn, cyfres a fyddai'n para tan Chwefror y flwyddyn ganlynol ac yn gosod y dref fach ar dudalen flaen y papurau newydd.

The photographs over the next pages reflect the storms in Aberystwyth between October 2013 and February 2014.

The October storms of 2013 were fun for some! Little did we know that this was the beginning of a series which grew ever fiercer, and which lasted until February the following year, putting the little town on the front pages of the newspapers.

05/11/13

Yr Hen Goleg, a welodd lawer storm yn ei ddydd.

The Old College, which has weathered many a storm.

20/11/13

Does dim all atal beicwyr brwd Aberystwyth!

Nothing will stop Aberystwyth's brave bikers!

23/12/13

Y don fwyaf.

The biggest wave.

27/12/13

Y storm yn parhau, er yr heulwen braf.

The storm persists, despite the sunshine.

03/01/14

Y tonnau'n bwrw dros y morglawdd i'r harbwr.

Huge waves break over the sea wall into the harbour.

03/01/14

Difrod ar hyd Traeth y De.

Damage along the South Beach.

03/01/14

Y gysgodfan Edwardaidd yn wyneb y ddrycin.

The Edwardian shelter bracing against the onslaught.

03/01/14

Seibiant cyn y llanw uchel nesaf.

Calm before the next high tide.

03/01/14

Noson stormus arall, wrth i'r llanw uchel chwalu'r gysgodfan.

Another stormy night, as the high tide smashes the shelter.

05/01/14

Y Llywodraeth yn ymateb.

The Welsh Government responds.

05/01/14

Difrod ar ochr ogleddol y prom.

Damage along the north prom.

06/01/14

Y gysgodfan wedi'i thanseilio!

The iconic shelter undermined!

06/01/14

Y storm yn parhau drwy'r nos.

The storm returns for an all-night session.

07/01/14

Difrod ymhellach i'r gogledd yng Nghlarach.

Damage further up the coast, in Clarach.

11/01/14

Pawb yn helpu i glirio'r graean.

Dozens of people turn up to clean the prom.

13/01/14

Saib yn y storm, sy'n atal y gysgodfan rhag cael ei dymchwel yn llwyr.

A gap in the storm, and work can be done to save the shelter.

31/01/14

Y storm yn dychwelyd fin nos.

The storm returns at dusk.

01/02/14

Mis Chwefror, a'r hunllef yn parhau.

February, and the nightmare continues.

03/02/14

Y Borth, Ceredigion.

05/02/14

Y Borth, a'r amddiffynfeydd newydd yn helpu i atal difrod gwaeth.

Borth, and the new sea defences save the village.

05/02/14

Cwrs golff y Borth ac Ynys-las.

Borth and Ynys-las golf course.

Datgelodd stormydd yn y Borth yn 2014 lawer mwy nag arfer o goedwig hynafol oedd yn ymestyn ymhell i Fae Ceredigion. Dyma 'Gantre'r Gwaelod' go iawn fel petai, lle bu pobl yn byw a hela rhwng pedair a chwe mil o flynyddoedd yn ôl. Datgelwyd coedlannau tebyg mewn mannau eraill hefyd, megis sir Benfro ac yng ngogledd Bae Ceredigion.

Storms at Borth in 2014 reveal much more than usual of the ancient woodland which stretches out into Cardigan Bay. A real 'Cantre'r Gwaelod' or 'Lower Hundred' of sorts, where people hunted and fished between four and six thousand years ago. Similar petrified woodland was revealed in several places around the Welsh coast, in Pembrokeshire, and towards the north of Cardigan Bay.

Yn 2008, wrth i'r tywod yn Ynys-las, ar lannau deheuol aber afon Dyfi, symud, datgelwyd *windlass* – offer weindio'r *Moringen*, llong nwyddau 217 tunnell o Norwy, a aeth i drafferthion ar 15 Mehefin 1877 pan oedd ar ei ffordd o Ddenmarc i Aberdyfi gyda llwyth o goed. Tra oedd yn disgwyl i'r llanw godi er mwyn ei galluogi i deithio i fyny'r aber, fe gododd storm graddfa 8, ac fe'i drylliwyd ar y twyni. Achubwyd y criw o chwech gan fad achub Aberdyfi.

In 2008, as the Ynys-las sands, south of the Dovey estuary, shifted, there came to light a windlass (winding gear) from the Moringen, *a 217-ton Norwegian brig, which got into difficulty while carrying a cargo of timber from Denmark to Aberdovey. While waiting for the tide to rise so that she could make her way up the estuary, a force 8 storm blew up, and she was wrecked on the sandbanks. The crew of six was saved by the Aberdovey lifeboat.*

Tudalen gyntaf dyddiadur cyntaf Joseph Jenkins, Ionawr 1839, sy'n nodi cyfnod o dywydd garw iawn. Yn anffodus, fe drawyd fferm ei dad ym Mlaen-plwyf gan gorwynt: 'Dydd Llun 7fed. Bore egr iawn. Mae'n chwythu corwynt llawn sy'n dymchwel coed, toeon tai ac ati'. Bu'r teulu wrthi am amser maith yn trwsio'r adeiladau a ddifrodwyd. Fe ddaeth Joseph Jenkins yn fwy adnabyddus i ni fel y 'Swagman Cymreig'. Mae ei ddyddiaduron yn ddefnyddiol fel ffynhonnell ar gyfer olrhain hynt y tywydd.

The first page of the first diary by Joseph Jenkins, from January 1839. Unfortunately, his father's farm at Blaen-plwyf was struck by very bad weather: 'Monday 7th. Very rough morning. It blows a complete hurricane which sends down timbers, roofs of houses and so on'. Over a long period, the diary goes on to mention ongoing repairs to the damage caused by this freak event. The Jenkins diaries are a useful source of weather information. Joseph became known during modern times as the 'Welsh Swagman'.

© Llyfrgell Genedlaethol Cymru

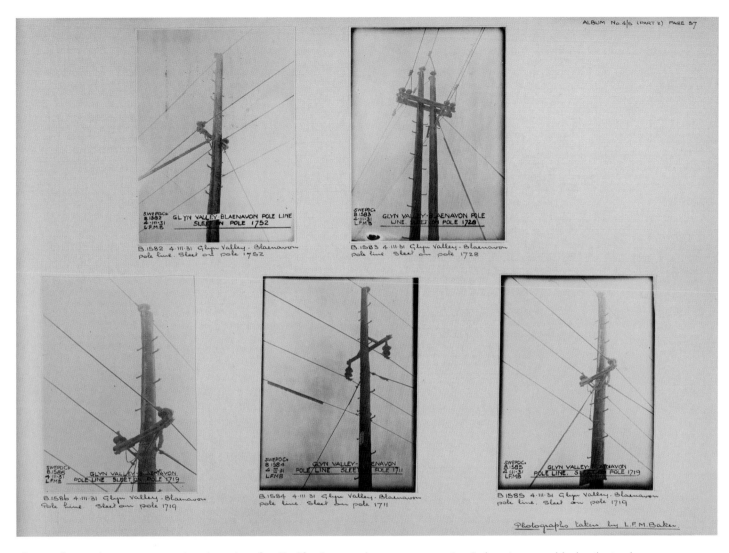

Rhan o albwm o luniau gan gwmni trydan sy'n cofnodi'r difrod a wnaed gan y gwynt, yr eira a'r rhew i system ddosbarthu trydan yn ne-ddwyrain Cymru yn ystod Ionawr 1930. Mae'n hawdd iawn diystyru pa mor anodd mae hi wedi bod erioed i'r rhai sy'n llafurio i geisio cynnal ein cyflenwad trydan yng nghanol pob math o dywydd.

A page from a south Wales electricity company album recording widespread damage to the electricity infrastructure, caused by wind, snow and ice during January 1930. It's so easy to ignore or forget how difficult it has always been for those workers who have to make the physical effort to maintain our electricity supplies through all kinds of weather.

Un o res o goed cadarn oedd wedi'u chwythu i lawr gan wyntoedd egr c. 1920, yn ardal Aberystwyth.

One of many large trees felled by strong winds, c. 1920, in the Aberstwyth area.

© Llyfrgell Genedlaethol Cymru, Casgliad Arthur Lewis

Cario'r goeden fwyaf i'r felin goed, T. T. Mathias yng Nghilgerran.

Carrying a felled tree to the sawmill at Cilgerran, by T. T. Mathias.

© Llyfrgell Genedlaethol Cymru

Difrod ar Goedlan Rhydhelig, Caerdydd, yn dilyn storm, Chwefror 2015.

Storm damage in Rhydhelig Avenue, Cardiff, February 2015.

© Matthew Horwood

21 Ebrill 1937. Un o amryw o beilonau ger Llanfair, sir Fôn, oedd wedi'i ddifetha gan dywydd garw. Roedd difrod i bron pob peilon yn y rhes sy'n cario trydan i Gaergybi, a disgwylid i'r gwaith o'u trwsio gymryd dwy flynedd.

21 April 1937. One of the many pylons at Llanfair, Anglesey, wrecked in a blizzard. Nearly every pylon in the line that carries the North Wales Power Company supply to Holyhead was damaged, and repairs were expected to take two years.

© Fox Photos/Hulton Archive/Getty Images

Ar 12 Chwefror 2014 fe drawodd gwynt eithriadol o gryf arfordir gorllewinol Prydain, gan achosi difrod sylweddol. Yn ardal Aberystwyth, dadwreiddiwyd nifer o goed, gan gau ffyrdd bach a mawr.

On 12 February 2014 exceptionally strong winds battered the western coast of Britain, causing widespread damage. In the Aberystwyth area, many trees were uprooted and roads closed.

Roedd gwynt 12 Chwefror 2014 wedi sychu'r gwair ar draws Cors Fochno, ac yn oriau mân y 14eg, fe achosodd gwreichion o wifrau trydan a oedd wedi'u dymchwel yn y gwynt i dân gynnau ar y gors. Achosodd hyn yn ei dro gau'r rheilffordd rhwng Aberystwyth a Machynlleth. Yn ffodus, gostegodd y gwynt gryn dipyn yn ystod y bore, ac nid anafwyd neb. Serch hynny, roedd y gwynt yn dal yn sobor o gryf, ac roedd yn rhaid i o leiaf un gohebydd newyddion gael help i ddal ei chamera yn llonydd, gan fod y gwynt yn ei chwythu drosodd bob gafael!

The wind on 12 February 2014 dried the grasses of Borth Bog, and during the early hours of the 14th sparks from downed electricity cables caused the marsh to catch fire. This in turn caused the railway line between Machynlleth and Aberystwyth to be closed. Luckily, the wind had abated, and so the fire was manageable, and no-one was hurt. The wind was however still strong enough to blow over TV cameras on their tripods, and at least one newshound required help to weigh down her equipment as she fought the elements to report on camera!

144

Carafán wedi'i dymchwel ym mharc gwyliau Glan-y-môr, Clarach, ym Mae Ceredigion. Achosodd yr hyrddiadau 100 milltir yr awr ym mis Chwefror 2014 ddifrod sylweddol i eiddo a choed ar hyd yr arfordir.

A caravan tipped over by the 100 mph gusts during the February 2014 gale at Glan-y-môr holiday park, Clarach Bay.

Rhew yn dadmer yn yr Arctig.

Ice melts in the Arctic.

© ccO Parth Cyhoeddus/Public Domain

YR HINSAWDD

Wrth ddarllen am hanes y tywydd fe ddaw ymadroddion tebyg i'r amlwg droeon, megis 'dyma'r gaeaf gwlypaf ers hyn a hyn o flynyddoedd', neu 'dyma'r haf sychaf ers hyn a hyn o amser'. Yn ystod y blynyddoedd diweddar, mae fel petai pob record dywydd yn cael ei thorri. Mae rhywbeth fel petai'n digwydd i'r tywydd sy'n cynhyrchu ystadegau newydd, mwy eithafol, bob blwyddyn. I ddeall cyd-destun hyn oll, ac i geisio deall beth sy'n digwydd a pham, mae angen edrych a thyrchio ymhell yn ôl. Ond yr anfantais wrth geisio dilyn hynt y tywydd tuag yn ôl ydi bod cadw mesuriadau ac ystadegau cyson yn beth cymharol ddiweddar. I gael darlun o'r hinsawdd dros gyfnod o filoedd o flynyddoedd, mae'n rhaid edrych ar dystiolaeth bur wahanol, er enghraifft cylchoedd tyfiant coed, tystiolaeth archeolegol, a thystiolaeth o lwch a nwyon sydd wedi'u cadw yn ddwfn yn haenau rhew'r pegynau.

Amcangyfrifir bod y ddaear tua 4.54 biliwn o flynyddoedd oed. Rhennir yr amser hwnnw'n gyfnodau (*periods*), gorgyfnodau (*eras*), epocau (*epochs*) ac oesau (*ages*). Gwnaed llawer o'r ymchwil gwyddonol cynnar i hanes y ddaear yng Nghymru, ac mae tarddiad Cymreig i enwau rhai o'r cyfnodau gweddol gynnar (h.y. rhwng tua 541 a 423 miliwn o flynyddoedd yn ôl) – Cambriaidd (Cambria – Cymru), Ordoficaidd (yr Ordovices – llwyth Celtaidd o ogledd Cymru), a Silwraidd (y Silures – llwyth Celtaidd o dde Cymru). I osod 'dyn' yn y cyd-destun hwn, rhyw 250,000 o flynyddoedd yn ôl y datblygodd y 'person modern', *Homo sapiens* (*homo* – dyn, *sapiens* –

doeth neu ddeallus). Fe welodd y ddynoliaeth newidiadau enfawr yn yr hinsawdd, gan gynnwys dyfodiad a diflaniad yr Oesoedd Iâ (daeth yr un olaf i ben tua 11,500 o flynyddoedd yn ôl). Wrth i wyddonwyr gydgyplysu tystiolaeth o sawl maes a ffynhonnell, mae eu dealltwriaeth bellach yn eu galluogi i ddarogan newidiadau yn yr hinsawdd, yn ogystal â'r tywydd sy'n deillio ohonynt.

Haen gymharol denau o nwyon gwahanol uwch ein pennau sy'n cynnal ein gallu i fyw ar y ddaear. Un o'r pethau pwysicaf y mae'r nwyon yn ei gyflawni yw rheoli tymheredd y ddaear. Mae gwyddonwyr yn gwybod ers y 19eg ganrif fod carbon deuocsid (CO_2) yn 'inswleiddio' y ddaear, gan ei fod yn gadael i wres yr haul gyrraedd y ddaear a'i chynhesu, ond yn atal gwres y ddaear rhag diflannu yn ôl i'r gofod. O haneru maint y CO_2 yn yr atmosffer, fe fyddai'r blaned yn dioddef Oes Iâ newydd; o'i gynyddu, fe fyddai tymheredd y ddaear yn cynhesu o sawl gradd. Po fwyaf o CO_2 sydd yn yr atmosffer, mwyaf o wres sy'n methu dianc. Gelwir hyn yn 'effaith tŷ gwydr', a gelwir CO_2 a nwyon eraill sy'n atal y gwres rhag dianc yn 'nwyon tŷ gwydr'. Erbyn y 1890au, roedd gwyddonwyr eisoes wedi sylweddoli bod llosgi tanwydd carbon, megis glo, yn cynyddu maint y nwy CO_2 oedd yn aros yn yr atmosffer, a bod tymheredd y blaned yn codi yn raddol bach.

Yn y cyfnod ers y 1890au mae'r cynnydd mewn llosgi tanwydd carbon wedi bod yn syfrdanol, ac mae hyn, a rhai ffactorau eraill sy'n ymwneud â diwydiannau dyn, megis datblygu aerosolau, CFCau a chreu cymylau gan awyrennau, prosesau ffermio dwys sy'n cynhyrchu methan, a dinistrio fforestydd, wedi gwaethygu'r sefyllfa yn aruthrol, gan ein harwain tuag at yr argyfwng mwyaf yn hanes y ddynoliaeth. Er tua 1750, gyda dechrau'r chwyldro diwydiannol, mae cyfanswm y CO_2 yn yr atmosffer wedi cynyddu 35%. Mae'r byd yn cynhesu'n gyflym, ac oni bai fod hyn yn cael ei atal, fe fydd rhannau mawr o'r ddaear yn troi'n anghyfannedd.

Defnyddir y term 'cynhesu byd-eang' i ddisgrifio'r broses hir o gynhesu'r blaned. Wrth 'newid hinsawdd' (*climate change*), golygir yr ystod eang o effeithiau sy'n digwydd yn sgil cynhesu byd-eang, megis lefel y môr yn codi, rhewlifoedd yn crebachu, ac wrth gwrs, newid ym mhatrymau arferol y tywydd.

Er yr holl dystiolaeth a'r ymchwil gwyddonol manwl o bob math sydd wedi'i gynnal am dros ganrif a hanner, yn ogystal â thystiolaeth amlwg weledol o'n cwmpas, mae rhai pobl yn dal i wadu bod cynhesu byd-eang yn sgil gweithredoedd y ddynoliaeth yn ffaith. Ond mae arweinwyr y rhan fwyaf o wledydd y byd yn cydnabod y sefyllfa, a'i difrifoldeb, ac mae camau yn yr arfaeth i geisio torri'n sylweddol iawn ar faint o CO_2 sy'n cael ei ollwng i'r atmosffer. Ym Mharis yn ystod Rhagfyr 2015 cynhaliwyd cynhadledd bwysig iawn ar newid hinsawdd, sef COP21, a daeth cynrychiolwyr 195 o wledydd i gytundeb cychwynnol yno ar gamau i gadw cynhesu'r ddaear i ddwy radd – ond ni ddaw'r cytundeb i rym tan 2020.

Gan orsymleiddio'n ddifrifol, 'rhyngweithio' cymhleth rhwng nifer o elfennau megis oer a phoeth, rhwng sych a gwlyb, yr atmosffer, y ffordd y mae'r ddaear yn troi a'i chylchdro o gwmpas yr haul, sy'n achosi ein tywydd. Mae'r tywydd yn 'digwydd' yn un o bum haen o nwyon, 6,200 milltir o ddyfnder, sy'n amgylchynu'r blaned, sef y troposffer – yr haen neu'r cylch isaf o nwyon. Y tu mewn i ffiniau'r cylch hwn y mae'r cymylau, y glaw, y gwynt a'r amrywiaeth di-ben-draw o dymheredd yn cael eu creu a'u symud o gwmpas wyneb y ddaear. Mae'r symudiadau tywydd yn hemisffer y gogledd yn tueddu i deithio o'r gorllewin i'r dwyrain. Bas iawn o ran dyfnder yw'r

troposffer – o wyneb y ddaear i fyny i bedair milltir yn y pegynau, a saith milltir yn agos i'r cyhydedd. Mae newidiad yn yr hinsawdd yn ei dro yn achosi newid i'r patrymau 'rhyngweithio' yr ydym wedi arfer â hwy.

Gwelir effaith newid hinsawdd ledled y byd. Mae'r rhew parhaol yn ardal Pegwn y Gogledd yn dadmer a chrebachu yn gyflym, mae lefel y môr yn codi, mae patrymau ein tymhorau yn newid, ac mae tywydd anarferol ac weithiau mwy eithafol yn ein poeni yn fwy cyson. Mae'r cynhesu hwn yn lladd rhywogaethau, mae ansefydlogrwydd gwleidyddol yn cynyddu, a bywyd yn mynd yn anoddach neu'n amhosib ei fyw mewn rhai mannau yn y byd.

Er bod llawer o ddrwg wedi'i wneud eisoes, y gobaith yw y bydd modd i'r ddynoliaeth arafu'r broses, neu hyd yn oed ei hatal rhag mynd yn waeth, os ceir gweithredu cyflym a llym yn fyd-eang i atal rhyddhau rhagor o nwyon tŷ gwydr i'r atmosffer. Oni weithredir ar hyn, mae'r dystiolaeth wyddonol a hanesyddol yn dangos beth all ddigwydd yn sgil newidiadau enfawr i'r hinsawdd – sef dileu rhywogaethau. Cafwyd cyfnodau hir o newid hinsawdd yn yr hen, hen oesau, a hynny oherwydd digwyddiadau catastroffig naturiol, megis rhyddhau nwyon a llwch i'r awyr gan losgfynyddoedd, neu drawiad gan feteor. Diflannodd rhywogaethau cyfan, megis y deinosoriaid, oherwydd hyn, ac fe achoswyd Oesau Iâ yn ogystal. Does dim y gallwn ei wneud i atal trychinebau naturiol o'r fath, ond fe allwn i gyd gymryd camau bach i leihau ein defnydd o nwyon tŷ gwydr, a thrwy hynny gyfrannu at y gwaith mawr sydd o'n blaen i sefydlogi'r hinsawdd.

Darlun o nodweddion meteorolegol. Engrafiad wedi'i liwio gan J. Emslie a gyhoeddwyd yn 1846.

Meteorology: a diagram of various atmospheric effects. Coloured engraving by J. Emslie, published in 1846.

Pentref bach Fairbourne ar aber afon Mawddach. Mae'r ardal hon, i'r de o'r Bermo, mewn peryg o gael ei cholli i'r tonnau ryw ddydd. Mae dadlau chwyrn am ddyfodol y pentref ers i'r cyngor sir wyntyllu'r syniad o'i drin fel 'enciliad arfordirol wedi'i reoli' (*managed coastal retreat*). Fe fyddai hyn yn golygu peidio â chynnal yr amddiffynfeydd morol ar ôl 2025, gan adael i'r môr a'r afon gipio'r tir. Adeiladwyd y pentref ar Forfa Henddol – esiampl dda o enw disgrifiadol Cymraeg, ac efallai fod rhybudd yn yr enw na ddylid bod wedi adeiladu ar y fath dir yn y lle cyntaf. Mae tua hanner cant o lefydd yng Nghymru yn cael eu rhestru fel rhai sydd dan fygythiad tebyg mewn 'Cynlluniau Rheoli'r Arfordir' (SMP) gan y Llywodraeth.

The coastal village of Fairbourne on the Mawddach estuary, an area in danger of being lost to the sea. There has been fierce debate about the future of the village since the county council proposed treating it as a managed coastal retreat. This would involve not maintaining the coastal defences after 2025, and thereby allowing the sea and river to encroach on the land. The village was built on Morfa Henddol (Henddol Sea Marsh) – a good example of a descriptive Welsh place name, and maybe there's a warning there that the area might not have been the wisest place to build upon. Around fifty places in Wales are listed as being under a similar threat in the Welsh Government 'Shoreline Management Plans'.

Rhewlif Pasterze, ym Mharc Cenedlaethol yr Alpau, Awstria. Yn 8.4 km o hyd, hwn yw rhewlif hiraf y wlad. Adeiladwyd canolfan ddehongli fawr gerllaw, er mwyn esbonio'r ddaeareg a'r bywyd gwyllt. Erbyn heddiw, nid yw'r rhewlif ond hanner y maint ydoedd ganol y 19eg ganrif, ac mae'n crebachu tua 10 metr y flwyddyn.

The Pasterze glacier is the longest in Austria, at 8.4 km. A large interpretation and viewing area was built nearby. Due to rising temperatures, the glacier is receding some 10 m annually, and has lost half its volume since it was first measured in 1850.

Nid yn unig ar gyfandir Ewrop y gwelir rhewlifoedd yn crebachu ar raddfa na welwyd ei thebyg. Dyma arwydd ar y ffordd i Rewlif Athabasca ym mynyddoedd y Rockies yng Nghanada. Yn 1982 roedd y rhewlif yn arfer cyrraedd y pwynt yma, ond fe welwch ef heddiw ymhell yn y pellter. Fe fyddai colli'r rhewlif yn andwyo ecosystem y Rockies yn ddirfawr.

It is not only in Europe that glaciers are diminishing at an accelerated rate. This is a sign near the Athabasca Glacier in the Canadian Rockies. In 1982 the glacier reached this point, but you can now just see it in the distance. Losing this and other glaciers would critically damage the ecology of the Rockies.